Les Éditions du Boréal
4447, rue Saint-Denis
Montréal (Québec) H2J 2L2
www.editionsboreal.qc.ca

Les Aventures
étranges et surprenantes
d'Esther Brandeau,
moussaillon

Susan Glickman

Les Aventures
étranges et surprenantes
d'Esther Brandeau,
moussaillon

roman

traduit de l'anglais (Canada)
par Christiane Duchesne

Boréal

© Susan Glickman 2012

© Les Éditions du Boréal 2014 pour l'édition en langue française au Canada

Publié avec l'accord de Cormorant Books inc.

Dépôt légal : 1er trimestre 2014

Bibliothèque et Archives nationales du Québec

L'édition originale de cet ouvrage a été publiée en 2012
par Cormorant Books sous le titre *The Tale-Teller.*

Diffusion au Canada : Dimedia

*Catalogage avant publication de Bibliothèque et Archives nationales du Québec
et Bibliothèque et Archives Canada*

Glickman, Susan, 1953-

[Tale-teller. Français]

Les aventures étranges et surprenantes d'Esther Brandeau, moussaillon

Traduction de : The tale-teller.

ISBN 978-2-7646-2257-5

I. Duchesne, Christiane, 1949- . II. Titre. III. Titre : Tale-teller. Français.

PS8563.L49T3514   2014   C813'.54   C2013-942485-7

PS9563.L49T3514   2014

ISBN PAPIER 978-2-7646-2257-5

ISBN PDF 978-2-7646-3257-4

ISBN ePUB 978-2-7646-4257-3

pour ma fille Rachel
et à la mémoire de Sheldon Zitner
qui fut mon Prospero
quand j'étais sa Miranda

Y anoche, mi madré
cuando me eché a acordar
sonabo un sueno
tan dulce era de contar :
que me adormia
y a orias del mar

La nuit dernière, ma mère
quand je voulus me souvenir
je rêvai un rêve
qu'il était si doux de raconter :
que je me suis endormie
au bord de la mer

UN

La fortuna no viene solo,
kali buxcarla

La chance n'arrive pas toute seule,
chacun doit la chercher

Appuyé au bastingage, celui qu'on appelle Jacques plisse les yeux dans la lumière du couchant. Au loin brille la Nouvelle-France, incroyablement verte sur un fond de ciel rose. Dans l'air salin qu'il respire depuis soixante-douze jours, Jacques devine un parfum de terre, d'arbres, de foin et de bêtes. Au bout de tant de jours en mer, il a le corps brûlé par le sel et le cœur empli de larmes silencieuses.

Le voyage n'a pas été de tout repos. Comme la plupart des passagers du *Saint-Michel*, il a souffert de fortes fièvres deux semaines à peine après le départ, mais contrairement au second et à un riche marchand de soie de Rouen qu'on a dû balancer tous les deux à la mer, il a fini par s'en remettre, sans toutefois avoir repris le poids perdu. Il avait eu un mal fou à avaler la cuisine du bord, faite uniquement de lard, de poisson salé et de biscuits de mer, mais une fois en vue les Grands Bancs de Terre-Neuve où le poisson abonde, on s'était mis à la pêche et il avait retrouvé l'appétit. Jusque-là, à part un ragoût de volaille improvisé après que toutes les poules pondeuses du capitaine se furent noyées, il avait survécu grâce à des pois, des haricots, du riz et du vin coupé d'eau.

Petit et mince, les yeux noirs et la peau mate sans l'ombre d'un duvet, on lui donnerait seize ans tout au plus. Calme, discret, il sait esquiver poliment les questions qu'on lui pose à propos des siens ou de son lieu de naissance. Il répond simplement qu'il est orphelin, mais de bonne famille, qu'il sait lire et écrire. Ses frères aînés ont hérité des terres et de la fortune familiale, et comme il n'a pas plus d'aptitude pour la prêtrise que pour l'armée, il a décidé de tenter sa chance à l'étranger. De ses souvenirs, si pénibles qu'il ose à peine y penser, il ne laisse filtrer que très peu et se borne à dire qu'il a failli mourir du typhus lors de l'épidémie qui a emporté sa mère. Rien d'étonnant à ce qu'il rêve à cette heure d'une nouvelle vie qui s'inscrirait sur une page vierge de l'Histoire.

Il n'est pas le seul dans cette situation. Si la plupart des passagers du *Saint-Michel* sont des apprentis ou des soldats qui se sont engagés pour un terme fixe, une douzaine d'immigrants ont déboursé trente livres pour leur passage, l'équivalent d'au moins deux mois de leur salaire. À ces jeunes hommes, tous plus âgés que lui et qui veulent savoir quel est son métier, Jacques répond qu'il a été apprenti chez un boulanger, puis chez un tailleur, aussi habile auprès de l'un que de l'autre. Il dit n'avoir aucune peine à s'adapter et, de fait, dès que les matelots ont besoin d'un coup de main, il est le premier à s'offrir. Tout le monde s'entend pour dire qu'il trouvera facilement un emploi, plus aisément que certains artisans, comme ce tanneur baraqué de Bordeaux qui s'acharne, d'une voix forte et sans négliger les détails, à instruire Jacques sur la manière de séduire les femmes.

À part les commerçants, les soldats et les domestiques, plusieurs voyagent par affaires, marchands et serviteurs de l'État, gens aisés qui ont déboursé cent cinquante livres pour avoir le privilège de manger à la table du capitaine et de dormir dans les quartiers les plus confortables. Peu de femmes font partie du voyage : deux épouses de notables que l'on a à peine aperçues, et un trio de bonnes sœurs qui vont évangéliser les païens. Elles tombent en prière au moindre danger et se tiennent loin de la grivoiserie et des beuveries de certains passagers, comme l'impayable tanneur qui s'amuse à les faire rougir. Lorsqu'elles ne récitent pas leur chapelet ou qu'elles n'ont pas le nez dans leur missel, elles veillent à faire montre d'un semblant de dignité malgré l'absence de commodités et l'exiguïté de l'entrepont. On dispose là d'à peine assez d'eau pour boire et pour faire à manger. Pour se laver, un linge infect sur le visage et rien de plus, les hommes ne se déshabillent même pas complètement. Dans ces conditions, personne n'est jamais propre.

Les passagers de condition plus modeste sont entassés dans un coin de l'armurerie. Un mouvement du navire suffit à les projeter les uns sur les autres, et comme la plupart dorment dans leurs vêtements grouillants de poux, c'est chaque fois une bien vilaine manière de se faire réveiller. Au cours d'un violent orage, un des occupants d'une couchette supérieure qui n'a pas pu en descendre à temps a vomi sur la couverture de Jacques, déjà passablement crasseuse. Comme il lui était impossible de se procurer des draps propres et que l'odeur tenace le prend à la gorge, il a demandé d'aller dormir ailleurs, n'importe où, mais ailleurs, et s'il le fallait, il était prêt à s'installer dans le coin réservé aux bonnes sœurs, séparé du reste de la chambrée par un simple rideau, mais les saintes femmes ont refusé d'accueillir un garçon, fût-il imberbe.

Jacques a finalement découvert un hamac dans les quartiers réservés à l'équipage et dès lors n'a plus de raison de frayer avec les autres passagers. Même s'il boit très peu et qu'il ne jure pas, il apprécie la compagnie de ces rudes marins et leur avoue avoir toute sa vie rêvé d'un tel voyage. Quand l'un des jeunes commerçants, un charpentier de Saint-Jean-de-Luz qui désespère chaque soir de pouvoir s'endormir, lui a demandé comment il peut aimer à ce point se faire ballotter, toujours au froid, jamais au sec, il a répondu qu'il n'aurait jamais cru profiter d'une si grande liberté. Suspendu entre ciel et mer, entre les mains de Dieu et au-delà de toute attente, il a pour la première fois de sa vie le sentiment d'être lui-même.

Ému malgré sa propre détresse par ce discours aussi enflammé qu'inattendu, le charpentier souhaiterait pouvoir discuter plus souvent avec lui, mais Jacques préfère poser des questions plutôt que d'y répondre.

Par les nuits de beau temps, il écoute les conversations des matelots, les yeux à demi fermés à cause des fumées de tabac, ou cherche à reconnaître les constellations dans le ciel d'été. La Grande et la Petite Ourse brillent en signe de bienvenue dans la forêt boréale, mais juste au-dessus de l'horizon Camelopardalis, la constellation de la Girafe, semble narguer ceux qui s'acharnent à vouloir découvrir un passage vers l'Orient par l'Atlantique.

L'existence du passage du Nord-Ouest est un sujet de discussions animées au sein de l'équipage : certains croient qu'il est grand temps de le découvrir, d'autres affirment qu'il ne le sera jamais. En attendant, les habitants du Nouveau Monde portent toujours le nom d'Indiens que Colomb leur a donné par erreur même s'ils n'ont rien à voir avec les habitants des Indes. Jacques pose souvent des questions fort pertinentes aux membres de l'équipage, preuve qu'il porte attention au moindre de leurs propos. Mieux encore, il semble bien renseigné pour quelqu'un de si jeune qui n'a pas l'expérience de la mer. Par exemple, il sait qu'un Anglais du nom de John Hadley a récemment inventé un instrument pour déterminer la latitude qui s'appelle « octant » ; mais le capitaine du *Saint-Michel*, le sieur de Salaberry, qui n'en possède pas, doit se contenter du bon vieux quadrant. Jacques comprend bien les principes de la navigation astronomique sans avoir jamais touché à un astrolabe, et s'offre souvent pour compter, de la poupe, les nœuds dans la ligne graduée grâce à laquelle on calcule la vitesse des navires.

Il s'intéresse surtout à ce que les matelots racontent de leurs aventures dans des pays lointains, rien n'est trop obscur ou trop étrange pour lui, tout le fascine : la pauvreté de l'armement des navires marchands par rapport à celui des bateaux de pirates, le grand nombre de mariages entre les femmes africaines et les soldats français sur la côte de Guinée, les détails sordides du commerce des esclaves. Sa curiosité force les hommes d'équipage à considérer leurs propres pratiques d'un nouvel œil, et le garçon leur plaît tant qu'ils le pressent de se joindre à eux lors du voyage de retour en France. Étant donné son penchant pour les choses de la mer, il sera bon matelot, disent-ils. Flatté, Jacques refuse tout de même. Son voyage s'achèvera sous quarante-six degrés et quarante-neuf minutes de latitude nord, et soixante et onze degrés et treize minutes de longitude ouest. Il va bientôt débarquer à Québec, cette ville dont le nom à l'étrange consonance signifie « là où le fleuve se rétrécit ». Qui peut se douter de ce qui l'attend là-bas ?

∽

Lorsque le *Saint-Michel* entre dans le port de Québec, une scène joyeuse s'offre aux passagers épuisés. Le port fourmille de bateaux de toutes tailles – faisant mentir la rumeur qui court en France voulant que cette colonie soit condamnée à disparaître après une année de choléra et de mauvaises récoltes. On reconnaît les cotres, les bricks et les quatre-mâts, mais d'autres embarcations étonnent. Des esquifs en bois, peu profonds, croisent près de la rive à l'abri des courants, menés par des indigènes dont on n'aperçoit que le torse glabre. À les voir manœuvrer avec une telle aisance, comme s'ils faisaient corps avec leur embarcation, Jacques pense aux Skiapodes dont parle Pline dans son *Histoire naturelle,* ces créatures au pied unique et gigantesque qu'on dit habiter les Indes, l'Afrique et les « Terræ Incognitæ », ces espaces vides des cartes géographiques dont a déjà fait partie ce coin du monde. Plus on découvre de nouvelles terres, plus on doute de l'existence de tels monstres, plus on remet en question le témoignage de Pline, l'un des auteurs préférés de Jacques. Il tremble d'émotion à l'idée de pénétrer au cœur d'un continent inconnu où il y a tant à explorer, où il pourra se perdre et, par le fait même, parvenir à se trouver.

Entourée de remparts, la ville présente une façade escarpée sillonnée d'escaliers où s'affairent les habitants. Au loin, des collines bien vertes et, sur l'eau, mille reflets. N'importe où et à n'importe quel moment, ce tableau aurait été saisissant, mais après toutes ces semaines en mer, la vision qu'en a Jacques est encore plus spectaculaire que tout ce qu'il a pu imaginer.

Il se fraie un chemin entre les passagers, impatient de mettre enfin le pied sur la terre ferme, mais un des matelots l'arrête : avant de débarquer, chacun doit obtenir l'autorisation d'un homme élégant, en pleine conversation avec le capitaine de Salaberry. Vêtu d'une veste bleue et d'une impeccable chemise blanche, qu'il porte pour marquer le fait d'être arrivé sans encombre, le capitaine n'a pourtant rien de la prestance de l'officier de marine, resplendissant dans un habit de brocart bordé de fourrure et de dentelles, qui accueille les passagers comme à la cour du roi plutôt que dans un port bondé de débardeurs et de curieux.

Leur sac de livres saints suspendu à leur cou, les bonnes sœurs passent l'inspection les premières et, nerveuses, descendent l'échelle de corde qui mène aux chaloupes. Suit une caisse contenant thé, miel, chocolat et fruits confits, cadeaux pour leurs sœurs d'ici qui, croient-elles, doivent se languir de telles friandises à force de survivre grâce à un pauvre régime de petits fruits et de racines. Les serviteurs de l'État viennent ensuite, serrant contre eux leurs cartables de papiers officiels et de décrets royaux, posant à contrecœur leurs fines chaussures sur les barreaux usés de l'échelle. L'un d'eux, grassouillet et vêtu d'un long manteau rouge galonné d'or, perd l'équilibre et voit son tricorne qui tombe à l'eau, dans un plouf aussitôt étouffé par les cris du pauvre homme. Un matelot repêche le tricorne du bout de sa rame et le rend à son propriétaire qui le tient, dégoulinant, au-dessus de l'eau. Cette terre est le paradis de la peau de castor, le rassure-t-on, il aura tôt fait de le remplacer.

Les marchands qui regardent, amusés, la déconfiture du fonctionnaire sont invités à monter dans la chaloupe suivante, mais refusent de quitter le navire avant d'avoir vu leur précieuse cargaison, fusils et poudre à fusil, liqueurs et tabac, couvertures, vêtements, casseroles et outils, bien déposée dans une autre embarcation. Ils consentent finalement à descendre le long de l'échelle et la deuxième chaloupe peut enfin s'éloigner. Une autre s'approche, puis une autre, la scène se répète avec les colons et leurs chiens, leurs vêtements et leurs fusils, leur attirail de cuisine et leurs instruments de musique, les portraits de leurs bien-aimées et les cartes géographiques de ce nouveau pays. Ne reste bientôt plus que Jacques.

Il soulève son léger bagage, prêt à le lancer dans la barque qui l'attend plus bas. Salaberry observe l'officier de marine, celui-ci secoue la tête et fait signe à Jacques d'approcher. Le jeune garçon traverse le pont à contrecœur, sa Terre promise si loin tout à coup, un mirage. Debout devant les deux hommes, il attend, les yeux baissés, les épaules affaissées, jusqu'à ce que l'officier l'attrape par le menton et le force à tourner la tête dans la lumière. Avec un mauvais rire, l'homme fait glisser son doigt comme une lame le long de la mâchoire de Jacques.

— Je crains de devoir vous faire passer un examen médical.

— Qui êtes-vous ? demande Jacques.

— Jean-Victor Varin de La Marre, commissaire de Marine. Mais la question qui m'importe est la suivante : qui êtes-*vous* ?

— Je m'appelle Jacques La Fargue.

— C'est ce que nous allons voir.

Aujourd'hui, quinzième septembre mil sept cent trente-huit, par-devant nous Commissaire de la Marine chargé à Québec de la police des gens de mer, a comparu Esther Brandeau, âgée d'environ vingt ans, laquelle s'est embarquée à La Rochelle en qualité de passager en habits de garçon sous le nom de Jacques La Fargue, sur le bateau le Saint-Michel commandé par le sieur de Salaberry.

Par Jean-Victor Varin de La Marre pour le ministre de la Marine française

༄

Tremblante, le teint gris tout à coup sous son hâle, la jeune fille est amenée par celui qui vient de l'arrêter dans une pièce tendue de riches tapisseries où flotte un parfum de bougies et de bois aromatique, chargée de meubles luxueux passés de mode depuis vingt-cinq ans. Devant elle, deux hommes que Varin lui présente à voix basse : le marquis Charles Beauharnois de La Boische, gouverneur général de Nouvelle-France, et Gilles Hocquart, intendant. Reconnaissant là les noms des autorités de la colonie, elle s'incline dans une révérence maladroite. Hocquart, homme corpulent au crâne dégarni et tout vêtu de noir, esquisse un sourire qu'il dissimule vite derrière sa main pour garder l'air sérieux. Mince et élancé, tout en satin et en dentelles, Beauharnois ne voit rien de drôle et ne manifeste aucune émotion lorsque la jeune fille retire son chapeau d'un geste vif, révélant un cou fragile, vulnérable.

— Pourquoi voyager sous cet accoutrement? demande Beauharnois d'un ton sévère.

— La seule manière de vous l'expliquer, c'est de vous raconter une histoire.

— Bien, nous vous écoutons, dit Hocquart en s'asseyant confortablement et en invitant ses collègues à faire de même.

Varin s'avance vers un guéridon bleu dans un coin de la pièce sur lequel se trouvent déjà plume et encrier, Beauharnois choisit un fauteuil orné de têtes de lion, s'y installe avec une mauvaise grâce évidente, croise une jambe élégante tendue de soie par-dessus son genou et tripote les broderies de sa veste jusqu'à ce qu'il soit forcé de se rendre compte que les autres attendent après lui.

— Commencez, ordonne-t-il. Contrairement à monsieur l'intendant, je n'ai pas toute la journée devant moi.

La jeune fille fait un pas en avant, mains jointes, paupières closes comme pour mieux évoquer ses lointains souvenirs et, d'une voix étonnamment mélodieuse, marquant à l'occasion une pause pour s'assurer de trouver le terme juste, elle raconte ce qui suit.

❧ DEUX ❧

No me llores por ser prove,
sino por ser solo

Ne pleure pas ma pauvreté,
mais ma solitude

Il était une fois une île très verte sur une mer très bleue. Dès l'aube, l'or flamboyait à l'horizon, et au crépuscule les aigrettes plongeaient tête première pour leur dernière prise, toutes parées de rose dans les lumières du couchant. Les poissons filaient sous l'eau, jouant à cache-cache, les crabes traçaient des noms mystérieux dans le sable, les singes folâtraient dans les arbres. Chaque pierre couvait son secret, chaque palmier faisait chanter le vent, chaque fleur abritait un insecte ou deux, et de l'île tout entière s'élevaient des voix, un chant, une prière à la puissance nourricière.

Un soir, un terrible orage éclata, le tonnerre grondait, les éclairs fusaient, plus aveuglants que le soleil. Les habitants de l'île coururent se cacher, terrifiés à la vue de ce qui ne ressemblait à rien de connu : une structure de bois au centre de laquelle pointaient d'énormes troncs d'arbres brisés, où claquaient d'immenses ailes blanches. La chose montait, descendait, violemment ballottée par la mer en furie. De cette apparition s'échappaient des cris de détresse étouffés par la violence des vagues et du vent.

Ils comprirent. Et ils furent pris de frayeur.

Le lendemain, sous les premiers rayons du soleil, la plage était méconnaissable, défigurée par le naufrage. Des algues enchevêtrées, quantité de poissons morts, la masse molle d'une pieuvre, des tuyaux, des cordages et le couvercle d'un coffre, un chapeau, un télescope brisé, des oranges, des citrons. Une bible flottait près de la grève, sa couverture dorée battant l'eau comme des nageoires. Et puis autre chose… D'un panier finement tressé semblable à la coquille d'une palourde géante s'éleva une sorte de miaulement. Un léger mouvement à l'intérieur piqua la curiosité des singes et les fit sortir de leurs cachettes. Ils s'avancèrent lentement sur le sable, apeurés et méfiants : cela cachait-il un danger ?

La matriarche menait la petite troupe. Elle avait perdu son bébé deux jours auparavant et depuis, tout l'indifférait. Téméraire, elle s'approcha du panier, personne n'osa plus la suivre. Stupéfaits, les singes la virent en sortir un petit être. Bizarrement chauve, il leur ressemblait de manière étonnante : deux yeux ronds de chaque côté du nez, des lèvres qui suçaient le pouce d'une habile main de primate. Pas effarouché le moins du monde, il offrit à la femelle un sourire édenté. Celle-ci plissa les babines à son tour, installa le petit sur ses genoux et commença à lui épouiller la tête.

Bien vite le bébé se mit à téter avec bonheur la mamelle de la guenon. Les autres singes s'approchèrent, caressant ses joues de leurs longs doigts, les plus jeunes examinant ses orteils, ses cuisses pâles et ses genoux joufflus et les comparant aux leurs. Différents, mais pas tant, un peu comme les aigrettes diffèrent des hérons ; tout simplement, et même s'ils n'avaient jamais vu un être qui leur ressemblât, ils admettaient que cela fût possible dans un monde si riche et si fécond. Qui pouvait savoir ce qui existait au-delà de leur île ? La mer et le ciel se perdaient à l'infini dans toutes les directions. Aujourd'hui encore – et depuis des générations –, leurs légendes racontaient que leurs ancêtres étaient venus de très loin, et qu'un jour la tribu tout entière retournerait là-bas, de l'autre côté des mers.

Puisque l'enfant de la mer était une fille, on l'éduqua comme telle. Les journées étaient réglées : réveil, quête de nourriture, jeux, épouillage, sieste, quête de nourriture, jeux, épouillage. Chaque jour ressemblait à l'autre, sans être tout à fait identique, car tout pouvait arriver : un jour, les fruits étaient mûrs et il fallait célébrer l'événement, le lendemain, tout le monde jeûnait, en deuil d'un jeune mâle mordu par un serpent.

Quand pour la première fois la petite goûta aux œufs d'oiseau, elle s'en délecta, mais au contraire les œufs de tortue la dégoûtèrent. Les crabes pinçaient, les abeilles piquaient, les papillons se déchiraient entre ses doigts trop curieux, et marcher sur des vers lui soulevait le cœur.

Elle était heureuse dans l'île, elle s'y sentait comme

chez elle, mais sa fascination pour l'océan inquiétait sa mère adoptive et constituait l'unique cause de friction entre l'enfant et la tribu. Elle passait des heures à arpenter la plage, dansait sur les franges d'écume, créait de jolis motifs avec des coquillages, creusait le sable à pleines mains puis regardait l'eau envahir ses cratères. Elle s'avançait dans la mer jusqu'à la taille et laissait les vagues se briser au-dessus de sa tête, retenait son souffle, plongeait et ressortait en riant, crachait l'eau salée, secouait sa chevelure, et mille gouttelettes scintillaient sous le soleil pendant que les singes glapissaient de peur et se cachaient les yeux derrière leurs mains tremblantes.

Les singes craignaient l'eau et se tenaient loin de la mer. Ils prévinrent la petite des dangers qui la menaçaient, lui faisant remarquer que la mer apportait chaque matin son lot de bêtes mortes. Ils eurent beau la punir lorsqu'elle désobéissait, la priver des meilleurs fruits et l'obliger à dormir toute seule, rien n'y fit, la mer ne cessait de l'attirer. Le jour où une forte vague l'entraîna en eau profonde, elle découvrit avec autant de joie que de stupéfaction le plaisir de nager.

C'est contre nature, déclarèrent les singes. Les singes marchent, les poissons nagent et les oiseaux volent.

— Et les tortues ? demanda la petite. Elles pondent leurs œufs dans le sable et retournent à la mer. Et les grenouilles, et les lézards qui vivent autant dans la terre que dans l'eau ? Il y a des êtres qui habitent les deux mondes. Vous m'avez dit que je venais de la mer, alors c'est peut-être vraiment là, chez moi.

La matriarche la gronda et pleura, mais la petite lui tint tête. Elle passait de plus en plus de temps toute seule, nageait en longeant la rive, juste assez près pour pouvoir revenir, mais assez loin pour ne pas entendre leurs voix chargées de reproches. Peu à peu, les singes finirent par se dire qu'elle avait perdu la tête et décidèrent de la laisser se débrouiller, mais étrangement, moins ils s'opposaient à sa volonté, plus elle se sentait abandonnée. Hier encore, malgré leurs différences, elle faisait partie d'une famille qui se souciait d'elle. Maintenant que les singes lui faisaient sentir qu'elle n'était pas des leurs, elle était plus seule que jamais.

Un jour, elle s'aventura plus loin que prévu et resta dans l'eau plus longtemps qu'elle aurait dû. Le soleil se couche rapidement sur cette région du monde, et il fit bientôt trop noir pour apercevoir la ligne où les rouleaux se brisent sur le rivage. Tout à fait désorientée, elle nagea pendant des heures sans jamais se rapprocher de l'île. Trop fatiguée pour continuer, elle se laissa flotter sur le dos pour refaire ses forces. Peut-être pourrait-elle profiter de la nuit pour se reposer et retrouver son chemin au lever du soleil? Jamais les étoiles n'avaient semblé si lointaines, jamais leur feu n'avait été si pâle. Autour d'elle, rien que la mer, impénétrable, et le silence. Complètement seule.

Combien de temps dériva-t-elle ainsi, elle n'en avait aucune idée. Ses larmes se mêlaient à l'eau salée.

Soudain, elle entendit quelque chose. Elle se remit sur le ventre et distingua au loin une forme noire qui s'avançait, aussi grosse qu'une baleine! Ce n'était pas un animal puisque des feux clignotaient le long de ses flancs. À contre-jour, elle distingua des ombres qui bougeaient et qui parlaient.

Elle hurla à pleins poumons, une voix lui répondit. Des silhouettes rassemblées sous l'un des feux mouvants lancèrent quelque chose à l'eau, y sautèrent et s'avancèrent vers elle. Des bras costauds l'agrippèrent, l'enveloppèrent dans des feuilles douces et épaisses, lui donnèrent à boire un liquide âpre et brûlant qui la réchauffa d'abord, mais qui lui donna envie de vomir et lui fit tourner la tête. Puis elle sombra dans le sommeil.

Lorsqu'elle s'éveilla, le soleil était déjà haut et l'île n'était nulle part en vue. Autour d'elle se tenaient des êtres étranges avec des poils autour de la bouche et sur le menton – mais pas sur les joues –, à mi-chemin entre elle et sa famille de singes. Ils marchaient debout et leurs corps étaient couverts de matières de toutes les couleurs. Fascinée, elle osa caresser un bras recouvert de bleu vif, une jambe enveloppée de peaux brunes. L'un d'eux portait sur le devant des cailloux qui brillaient comme de petits soleils. Curieuse, elle en toucha un du doigt. Ils se moquèrent d'elle sans méchanceté, comme si elle était encore un bébé, puis ils lui tendirent une peau aux couleurs vives et l'aidèrent à s'en vêtir. Ça piquait et elle s'en débarrassa vite, mais à coup de gestes et de sons désapprobateurs, ils lui firent comprendre qu'elle devait la remettre, ce qu'elle fit. Ils se montraient généreux, lui donnaient sans cesse à boire et à manger, lui lavaient la figure à l'eau chaude, lui caressaient gentiment la tête. La petite vit bien qu'ils ne lui voulaient aucun mal.

Elle finit par comprendre qu'elle était sur quelque chose qu'on appelait « navire », une île artificielle faite en bois qui se déplaçait sur la mer par la force du vent et grâce au travail incessant de ceux qui l'avaient sauvée. Ces gens venaient d'un endroit nommé « España » et ils la baptisèrent, elle, « Estrella » parce qu'ils l'avaient découverte toute blanche dans la nuit noire. Elle était leur enfant, leur petite fée, leur sirène et leur porte-bonheur. À cause d'elle, leur voyage se ferait sous une bonne étoile, et grâce à elle, ils en étaient convaincus, ils allaient rapporter sans ennui leur cargaison à bon port, riches comme on ne pouvait imaginer.

Les matelots tentèrent de lui expliquer leur mode de vie, mais elle n'avait pas l'habitude du langage des hommes, et même si elle apprenait rapidement, leurs idées étaient si singulières que, bien souvent, elle les interprétait mal. Elle finit par saisir qu'elle était une « fille », mais qu'elle devait faire croire qu'elle était un « garçon » si elle voulait partager la vie de sa nouvelle famille, car on interdisait la présence de filles sur les bateaux. Elle n'y comprenait rien, pas plus qu'ils ne comprenaient qu'elle ait vécu parmi les singes pendant tant d'années. Aux yeux des marins, les membres de son ancien clan étaient des « animaux » stupides ; ils n'avaient aucune idée du mode de vie des singes, empreint de générosité et de bonté. Elle eut beau tenter de leur dire combien la vie à bord ressemblait à celle de sa tribu et comment les singes, de la même façon qu'eux, travaillaient tous ensemble, prenant des quarts, mangeant et dormant ensemble, rien n'y fit. Ils ne voulurent rien entendre et, pire, la comparaison les blessa profondément.

Elle finit par laisser tomber et cessa de défendre son ancienne vie. La chaleur des bras de la matriarche, son regard compatissant, ses frères et ses sœurs, tout cela lui manquait terriblement, et elle savait qu'elle ne reverrait plus sa tribu. Elle n'avait aucune idée de la distance qui la séparait de l'île, ne savait pas non plus comment s'y rendre. Elle décida donc de s'adapter à sa nouvelle famille, s'habilla en « garçon » et aida aux manœuvres du « navire ». Après tout, il y avait un bon moment qu'elle n'avait pas été heureuse, elle espéra pouvoir un jour se sentir ici chez elle.

᎙

— Même si quelqu'un de crédule pourrait se laisser berner par votre éloquence, je refuse de croire à votre fumisterie, dit Beauharnois avec un rire désabusé, repris en écho par Varin.

Le gouverneur découvre ses dents jaunes et offre à la jeune fille un sourire qu'elle ne lui rend pas. Pendant qu'elle racontait, elle était transportée – les yeux baissés pour retrouver des images qu'elle est seule à voir, sa voix de violoncelle comme un profond murmure, rassurante comme le bruit de l'eau sur des galets. Une fois l'histoire achevée, sa confiance s'évanouit d'un coup et elle commence à se ronger les ongles, se balance sur un pied et sur l'autre. Avec sa peau foncée, son épaisse crinière noire et sa manière de se tenir, elle a vraiment quelque chose de simiesque.

— Quelques semaines d'isolement devraient suffire à la convaincre de nous dire la vérité, n'est-ce pas, Hocquart?

Les yeux de la jeune fille s'emplissent de larmes qu'elle essuie du revers de la main, puis elle y renonce et les laisse couler. Sous son air résigné ne transparaît aucune culpabilité, seulement un profond chagrin que la fatigue ne lui permet pas de dissimuler.

Hocquart hésite : la prison ne sera pas nécessaire, car après tout, ce n'est qu'une fille. De plus, Jean-Victor Varin de La Marre assure qu'il finira bien par découvrir la vérité grâce à son réseau d'espions, là-bas en France, ce dont Hocquart ne doute pas un instant. Varin sait fort bien jauger ceux à qui il accordera ou non l'autorisation de s'installer en tant que colons. Il exerce ce pouvoir avec plus de zèle que nécessaire et c'est pour cette raison, sans parler de l'obséquiosité et de l'orgueil dont il fait preuve, que Hocquart ne lui fait pas confiance. Comme tant d'autres jeunes hommes de la colonie, Varin est rongé par l'ambition, il sera riche un jour et se retirera en France dans un vaste domaine, entouré de flagorneurs et d'opportunistes à son image. Bien peu de ses pairs partagent l'attachement de Hocquart pour la Nouvelle-France, et il en éprouve une grande amertume. Même Beauharnois, passablement imbu de lui-même dans son rôle de gouverneur, est encore plus fier du titre de marquis dont il a hérité sans avoir à briller ni par l'emploi ni par les armes. Sa grande réussite fut d'ailleurs de dilapider la fortune familiale.

— C'est donc vous, Varin, qui avez démasqué cette petite friponne? demande Beauharnois. Je ne m'en étonne guère, j'ai entendu dire que vous avez un sacré flair en ce qui a trait au beau sexe.

Varin hoche la tête et retient un sourire, se flatte de passer pour un galant homme, quoique, à cet égard, personne n'arrive à la cheville du gouverneur. Madame Beauharnois n'a pas suivi son mari par-delà l'océan et personne n'ignore qu'ils sont séparés. Sans obligations conjugales, il est libre de rechercher l'affection de jeunes (et moins jeunes) filles prêtes à offrir leurs charmes en échange d'un peu d'avancement, et quoi qu'on en pense, elles ne sont pas si rares dans cette Nouvelle-France où les femmes sont peu nombreuses.

Beauharnois se tourne vers la jeune fille et l'examine longuement. Il a l'habitude de déshabiller les femmes en pensée, procédé d'autant plus stimulant qu'il faut y mettre du temps : dégager le bustier, retirer la robe, délacer le corset et le laisser tomber sur le parquet, enlever le premier jupon, enlever aussi ces paniers ridicules et leurs baleines, arracher le dernier jupon et enfin, ô merveille, la chemise…

Aujourd'hui, ses fantasmes sont tout autres : cette fille, là devant lui, il l'imagine nue et tremblante, étendue sur la paille dans un coin de la prison, les mains liées par une corde grossière, il se voit ensuite l'habiller minutieusement, couche après couche, afin de mieux la déshabiller ensuite pour son plus grand plaisir. Exercice futile… Même vêtue de robes somptueuses toutes brodées d'or et de perles, jamais elle ne sera assez jolie pour le séduire. Agacé, Beauharnois reprend son interrogatoire.

— Dites-moi qui vous êtes et ce qui vous amène en Nouvelle-France. La colonie a besoin de femmes, mais pas de fainéantes, et surtout pas de menteuses.

— Monseigneur, je m'appelle Esther, et la raison pour laquelle je suis venue ici…

Elle s'arrête un instant, relève la tête et l'implore du regard, mais Beauharnois fait montre d'un tel mépris qu'elle préfère se tourner vers Hocquart.

— Le monde est si vaste aujourd'hui, les explorateurs ne cessent de découvrir de nouvelles terres dont on ne connaissait même pas l'existence. J'ai voulu en visiter quelques-unes.

— Et vous vous êtes travestie en garçon pour voyager en toute liberté ? demande Hocquart, fasciné.

— Oui, Monseigneur.

— Oubliez-vous que, sous mon autorité, vous êtes prisonnière du roi de France ? coupe Beauharnois.

Il fait quelques pas vers la jeune fille qui recule jusqu'au mur.

— Comment l'oublier ? répond-elle d'une voix à peine audible.

Sans cacher son dédain, Beauharnois se détourne et se met à la recherche de sa cape.

— Des obligations plus importantes m'attendent. Je laisse votre sort entre les mains de monsieur l'intendant ici présent. Hocquart, faites preuve de la plus grande rigueur au cours de votre enquête au sujet de cette jeune personne.

Comment Beauharnois ose-t-il le traiter d'aussi haut dans sa propre demeure, et devant cet opportuniste de Varin en plus ? Le manoir de Beauharnois est perché sur les hauteurs, tout comme celui de l'évêque trop souvent absent, alors que la résidence de l'intendant est située dans la basse-ville. Les classes sociales existent aussi en Nouvelle-France et le décor le montre bien. L'autorité de Hocquart égale pourtant celle de son rival, on peut même dire qu'elle la surpasse, car celle du gouverneur consiste surtout à faire étalage de sa grandeur au nom du roi.

D'autant plus, se dit Hocquart, que l'arrogance de l'homme commence à dépasser les bornes.

— Marie-Thérèse ! lance-t-il brusquement.

Une femme aux cheveux roux tirés sous un bonnet blanc entre en trébuchant dans la pièce. De toute évidence, elle écoutait à la porte. Retrouvant son équilibre, la gouvernante s'incline profondément pour cacher sa gêne que Hocquart, trop préoccupé, ne remarque même pas.

— Amenez cette jeune femme dans le quartier des bonnes. La pièce de rangement est vide, elle lui servira de chambre.

— Oui, monsieur l'intendant.

Intriguée, elle observe la jeune fille dont le discours a piqué sa curiosité. Si jeune, et ayant vécu de telles aventures !

— Gardez l'œil ouvert, lance Beauharnois. Les

singes lui ont sans doute enseigné mille manières de voler.

Il pince la joue d'Esther, y laissant une marque vite effacée par le rouge qui monte à la figure de la jeune fille. Il se drape dans sa cape à col de castor, s'incline dans une courbette exagérée et quitte la pièce en vitesse, Varin sur ses talons comme un épagneul bien dressé.

❧ TROIS ❧

Quien no tiene su casa
es vecino de todo el mundo

Celui qui n'a pas de maison
est le voisin de tout le monde

Dès que Varin referme la porte derrière lui, Hocquart se met à tousser dans son mouchoir, caprice de son asthme chaque fois qu'il est troublé. Et troublé, il l'est grandement par cette situation inusitée. Que faire de l'étrange jeune fille qu'on lui a confiée? Il n'en a aucune idée.

Célibataire depuis toujours et destiné à devenir serviteur de l'État depuis l'âge de douze ans, Gilles Hocquart est rarement seul en présence d'une femme, à part les servantes qui allument le feu et lui apportent ses repas en silence. Sa mère est morte lorsqu'il n'avait que huit ans en donnant naissance à une petite sœur qui l'a rejointe peu après, troisième d'une triste suite d'enfants qu'elle a perdus. Tout à leur chagrin, le père et le fils ont alors mené ensemble une vie paisible, privés de présence féminine, et c'est sans doute ce manque de fantaisie qui a permis à Hocquart d'avancer au sein des services de la Marine de Sa Majesté jusqu'au poste de premier plan qu'il occupe aujourd'hui.

La présence de la gouvernante le ramène à la réalité. Elle attend ses ordres, il va tout simplement lui abandonner l'affaire et lui laisser le soin de s'occuper de la jeune fille. Marie-Thérèse lui est indispensable. Des dignitaires sont attendus pour souper? Il lui glisse un mot à l'oreille et un fin repas apparaît. Faut-il une caisse de vin pour remercier un capitaine de l'armée qui a réussi à calmer la foule en panique pendant l'épidémie de choléra? Elle est livrée dans l'après-midi. Un livre de sa bibliothèque a disparu? Marie-Thérèse sait exactement où il l'a laissé, distrait, dans une autre pièce de la maison, mais elle hésite à le replacer tant qu'elle n'en a pas reçu l'ordre. L'intendant ne saurait vivre sans elle, il se rappelle à peine avoir déjà eu à le faire.

— Marie-Thérèse, vous indiquerez également à Esther où se trouve la baignoire. Et trouvez-lui des vêtements convenables.

— Bien sûr, monsieur Hocquart.

Il s'éclaircit la gorge et se tourne vers son invitée.

— Vous devriez avoir honte, mademoiselle, d'exposer ainsi vos jambes en public.

— Pourquoi? demande-t-elle, comme si cela ne sautait pas aux yeux.

Un court instant, Hocquart reste déconcerté. Pourquoi, en effet? Il baisse les yeux sur ses propres jambes grêles, il doit se pencher pour les apercevoir, cachées sous sa bedaine. Ce n'est pas la première fois qu'il remarque que les bas de soie ne sont pas très seyants pour un homme de son âge. Les paysans portent des jambières de laine ou des pantalons, plus chauds, plus pratiques, et moins révélateurs.

— C'est une question de modestie, mon enfant. Vous ne vivez plus parmi les singes.

— Comme vous voudrez, monsieur l'intendant.

La rencontre avec Beauharnois lui a laissé les nerfs à vif et, comme d'habitude, il est passablement déstabilisé. Cette réponse pourtant polie résonne à ses oreilles comme une effronterie. Hocquart soupire, renvoie les deux femmes et s'assied, soulagé, à son bureau qui croule sous la paperasse, les comptes, les poursuites judiciaires et les édits royaux. Ce bureau, c'est un peu sa patrie, c'est un peu son refuge.

∾

Marie-Thérèse conduit la jeune fille à la salle de bain, à l'arrière d'un long bâtiment de deux étages, le pas pesant dans ses sabots de bois. Esther la suit dans ses bottes de cuir souple. À côté d'un seau d'eau de pluie et d'une bouilloire noircie qui fume sur d'énormes bûches, une grande baignoire en fer. Marie-Thérèse tourne le dos à Esther pour remplir la baignoire et, d'un geste, lui intime de retirer ses vêtements sales et de les jeter dans le panier destiné au lavage.

La jeune fille obéit et Marie-Thérèse s'affaire à trier ses vêtements. À part les bottes de cuir, rien ne mérite d'être gardé. Les bottes, elle les offrira au garçon d'écurie, celles qu'il porte sont si usées qu'il les fait tenir avec de la ficelle. L'enfant sera trop heureux d'en avoir une nouvelle paire – et une aussi belle –, sans doute trop grande pour lui, c'est difficile à dire. Il doit avoir une douzaine d'années, et, bien que petite et frêle, cette fille est certainement plus âgée que lui.

— Quel âge avez-vous, mademoiselle ? demande-t-elle par-dessus son épaule.

— Dix-neuf ans.

— Et Esther, c'est votre vrai nom ?

— Quand vous n'avez pas de mère, comment pouvez-vous connaître votre vrai nom ?

La gouvernante ne peut s'empêcher de se retourner, bouche bée. Tant de chagrin dans la voix d'Esther !

— Ma pauvre enfant !

Mince, avec de petits seins, ses bras maigres marqués d'ecchymoses, les hanches étroites, les cheveux noirs, courts et mal coupés, et d'épais sourcils qui se touchent presque, Esther se tient bien droite dans la baignoire. Rien de très féminin chez elle, surtout à l'heure où la mode est aux sourcils épilés et aux cheveux bouclés, aux derrières rembourrés, aux bustes remontés pour compenser les manques de la nature. Sans l'aide de ces artifices, il y avait quelque chose de très rude chez Esther.

— Je suis laide, n'est-ce pas ? demande-t-elle tristement.

— Oh, pardonnez-moi ! Je… Je ne voulais pas, répond vivement Marie-Thérèse. Je pensais à ce que vous avez raconté à propos de votre vie chez les singes.

— Vous avez entendu ?

— Monsieur Hocquart m'avait demandé d'attendre à la porte…

Humiliée, Marie-Thérèse n'arrive pas à finir sa phrase. Esther ne semble pas embarrassée le moins du monde, au contraire.

— Et ça vous a plu ?

— Oh oui, beaucoup. Vous racontez à merveille.

— Merci.

Un sourire illumine le visage de la jeune fille, et tout à coup, elle est plutôt jolie.

— Ce qui m'importe, c'est de savoir si vous m'avez crue.

— Si monsieur Hocquart vous croit, alors moi aussi.

— Pourquoi ?

La jeune fille se laisse tomber dans l'eau, éclabousse la gouvernante qui échappe un cri et s'essuie le visage avec son tablier pendant qu'Esther se frotte si vigoureusement qu'on croirait qu'elle veut s'arracher la peau.

— Parce que je ne suis qu'une gouvernante.

— Vous êtes beaucoup plus que ça. Domestique, c'est ce que vous faites, pas ce que vous êtes. Personne n'est uniquement ce que l'on dit de lui.

Pour Marie-Thérèse, ces mots ont la force d'une révélation. Elle pense tout de suite à son père qui, malgré ses pleurs et ses supplications, l'a un jour envoyée toute seule dans ce pays de neige sous prétexte de ne pas avoir de dot à lui offrir. Elle pense aux garçons du village qui se moquaient de ses dents clairsemées comme des piquets de clôture. Elle se rappelle le prêtre qui l'accusait d'avoir été trop fière de son nouveau bonnet et qui lui mettait la main aux fesses alors qu'elle en pleurait de honte. Personne ne lui a jamais laissé croire qu'elle pouvait être autre chose qu'une fille sans avenir, et au physique ingrat par surcroît. Qu'une parfaite étrangère devine qu'elle est – ou pourrait être – différente de ce que suggèrent les apparences la trouble profondément, et que cette personne soit toute nue rend la chose encore plus prodigieuse. Si cette fille possède un cœur plus grand que son corps, pourquoi n'en serait-il pas ainsi pour chacun?

Marie-Thérèse ne trouve rien à répondre et reprend malgré elle l'attitude soumise qui convient à son rôle.

— Finissez de vous laver pendant que je vais vous chercher des vêtements propres.

∽

Allongée dans la baignoire, Esther savoure sa solitude. Pour la première fois depuis qu'elle s'est enfuie de chez elle, elle peut enfin respirer. Après trois mois à soustraire son corps à la vue des autres, à dormir entre des gaillards à l'odeur pour le moins dérangeante, à ne se laver que sommairement et en cachette, l'eau chaude est aujourd'hui un bienfait inespéré qu'elle veut faire durer longtemps. Si seulement elle pouvait rester là à rêver aux endroits qu'elle a visités, à ceux qu'elle voudrait explorer, plutôt que d'affronter les défis qui l'attendent. Elle déteste avoir à le reconnaître, mais elle doit bien s'avouer que la vie d'aventurière est mille fois plus passionnante en pensée qu'en action.

Solitaire depuis l'enfance, elle a eu amplement le temps d'imaginer son évasion, pendant des années elle n'a pensé qu'à ça. Elle a appris par cœur *Les Aventures de Télémaque* et d'autres récits de voyage véridiques, ou fantastiques comme *Vie et aventures étranges et surprenantes de Robinson Crusoé de York, marin* ou *Les Voyages de Gulliver*. Même si on s'acharne à dire que l'ouvrage de Defoe n'est qu'un ramassis de mensonges, Esther s'en moque. Crusoé est encore plus convaincant à ses yeux que Marco Polo, Amerigo Vespucci ou Henry Hudson.

Ces récits de voyage ont nourri ses espoirs. S'il existe tant d'autres mondes, elle finira bien par trouver le sien, un monde sans discrimination arbitraire quant à l'origine, la race ou le sexe. En dernier recours, elle souhaite vivre sur une île déserte comme celle de Crusoé, couverte d'arbres fruitiers et peuplée de gentils animaux – mais sans cannibales ! –, toute seule, comblée.

Elle avait donc copié des cartes, mémorisé les grandes routes commerciales, étudié la vie d'explorateurs célèbres. Par deux fois elle était même allée, en cachette, observer du haut d'un pont ou bien à partir des quais les grands navires qui remontaient le fleuve chargés de denrées exotiques venues de pays lointains. Elle avait regardé les matelots charger et décharger la soie et le coton, les épices, le café, le cacao et les bois aromatiques, remplir les magasins de son père de toutes les richesses du monde, trésors qu'il avait le droit d'entreposer pour les autres sans toutefois pouvoir en profiter. Même s'il se préoccupait fort peu du sort de sa fille, il se serait opposé s'il avait su qu'elle passait ainsi ses journées. Mais elle ne courait aucun danger, les marins reconnaissaient en elle une âme sœur : rebelle, solitaire et téméraire, quelqu'un qui n'avait rien à perdre.

Esther s'étire dans l'eau et sent ses muscles se détendre. Elle s'amuse à plier un à un ses orteils – version rabougrie de ses longs doigts d'aristocrate –, rustres, maladroits, incapables de tenir la plume ou même de manier l'épée. Les singes sont supérieurs aux humains, songe-t-elle : ils peuvent éplucher des bananes avec leurs pieds. Esther essaie de faire comme eux pour attraper le savon glissant, mais elle n'y parvient pas, trop fatiguée pour s'acharner.

D'avoir été si rapidement démasquée la désole, il aurait été tellement plus facile de faire sa vie ici en tant que garçon ! Elle espère surtout qu'elle ne sera pas renvoyée tout de suite. Si le voyage vers l'ouest a été difficile à cause des vents debout et des tempêtes, le retour sera bien pire avec l'hiver qui vient. Et tant qu'à avoir fait le voyage, aussi bien explorer le pays. Il lui faut trouver la manière de convaincre les autorités de lui permettre de rester dans cette colonie bizarre où la richesse côtoie de près la misère et la saleté.

Convaincre le marquis ? Inutile d'y penser. Elle revoit son regard méprisant, regard qu'elle connaît bien et qui lui a trop souvent fait sentir qu'elle n'était qu'une propre à rien. Travailler sur le *Saint-Michel* avait beau être épuisant, la fatigue d'alors n'était rien à côté de celle qu'elle éprouve maintenant. Pourquoi le gouverneur la déteste-t-il autant ? À cause de son teint basané et de son corps maigrichon ? N'est-ce pas plutôt parce qu'elle a osé se faire passer pour un garçon ? Manifestement, quelque chose en elle le dégoûte, et s'il ne connaît pas encore toute la vérité, elle doit faire en sorte qu'il ne la découvre jamais.

Monsieur Hocquart est tout à fait différent, moins tyrannique, plus compréhensif. Fasciné comme il l'a été par sa première histoire, il en espère sûrement d'autres. Esther a perçu chez lui une sorte de douceur intérieure laissant deviner qu'il a, tout comme elle, été malmené par la vie. Continuer à piquer l'imagination de l'intendant, voilà ce qui pourra lui permettre de gagner du temps.

✧

Au menu, soupe à l'oignon, canard rôti, carottes et haricots exquis, compote de fruits, une grosse miche de vrai pain et une bouteille de fin bordeaux qu'Esther apprécie après la vinasse qu'on servait sur le bateau, si acide qu'elle aurait pu servir à polir l'argenterie plutôt qu'à étancher la soif. Même le goût de l'eau est agréable, elle est fraîche, douce et claire comme si les neiges éternelles des montagnes qu'elle rêve d'escalader s'étaient distillées dans son verre. Esther a toujours aimé manger : chez elle, la cuisine était à la fois refuge et lieu de réconfort.

Elle soupire, savourant du même souffle les plaisirs d'hier et ceux d'aujourd'hui.

— Vous avez bon appétit, mademoiselle, fait remarquer Hocquart, impressionné.

Toute mince dans une robe de laine brune ornée d'un collet crème et de poignets assortis, ses cheveux courts serrés sous un bonnet blanc, sa jeune invitée engouffre une deuxième portion de tout ce qu'on lui sert. Elle boit aussi beaucoup plus de vin qu'il aurait pu croire. Assis chacun à un bout de la table, mal à l'aise, ils échangent quelques commentaires à propos des mets. Hocquart répond à ses questions à propos de la population de la colonie, combien vivent en ville, combien sont nés ici, combien viennent de France. Esther s'informe avec un intérêt marqué : que fait-on pousser ici, quelles sont les industries les plus prometteuses ? Elle a beau se montrer polie, intelligente, c'est maintenant au tour de Hocquart de poser les questions, après tout, c'est lui qui doit faire la lumière sur son identité pour décider ensuite si elle pourra ou non demeurer en Nouvelle-France. Il s'éclaircit la gorge et déclare :

— Vous n'êtes pas un garçon, mais vous en avez l'appétit. Néanmoins, vous avez bien mal agi, vous avez trompé ceux qui vous faisaient confiance.

— De quelle manière ? dit-elle en levant sur lui un regard étonné.

— Pensez donc à ce que ressentiront ceux qui ont dormi à vos côtés lorsqu'ils apprendront que vous êtes une femme !

— Nous avons dormi comme des enfants et, croyez-moi, après une journée en mer, nous étions épuisés.

— Les enfants sont innocents, réplique-t-il, agacé par tant de bêtise. Et vous n'êtes pas une enfant.

— Dieu seul a le droit de juger de mon innocence.

— Vraiment? Seriez-vous l'une de ces calvinistes comme votre nom le laisse croire?

Il sourit, fier d'avoir déjà mis le doigt sur quelque chose grâce à ses questions détournées. Cet aveu facilite sa décision : la jeune fille sera tout bonnement renvoyée, puisque les huguenots sont interdits de séjour en Nouvelle-France.

— Non, Monseigneur, je ne le suis pas.

— Alors si vous êtes une bonne catholique, vous devez obéir aux autorités de l'Église et éviter de vous déshonorer par tant d'indécence.

— Jeanne d'Arc portait des habits d'homme et la France entière la vénère.

Esther voudrait ravaler ses mots. Vivre comme un homme lui a donné une telle liberté de parole et d'action que les idées rebelles – qu'elle a dû réprimer depuis tant d'années – semblent vouloir s'échapper toutes en même temps. Elle doit cependant, et à tout prix, éviter de contrarier son hôte par trop de témérité puisque son sort repose entre ses mains.

— Comment osez-vous vous comparer à notre Pucelle? s'écrie Hocquart avant d'être secoué par une quinte de toux.

— Je vous en prie, pardonnez-moi, monsieur Hocquart, je n'ai pas l'habitude de boire et le vin me fait parler à tort et à travers.

Perplexe, Hocquart la fixe du regard et tente de reprendre son calme. Quelle que soit la vraie nature de cette « Esther », elle ébranle la conception qu'il a du sexe faible. Prisonnière, toute seule dans le Nouveau Monde, et pourtant elle n'hésite pas à le provoquer ! Tant d'obstination le porte à croire en son histoire d'enfant sauvage, car, il le sait bien, une femme normale est incapable de garder un secret.

On lui a appris que les femmes étaient discrètes et faisaient preuve de modestie quant à leurs envies, mais Esther fait mentir ces principes. Les femmes sont censées porter respect aux hommes, leur abandonner l'aventure et la politique, passer leurs journées à bavarder, se consacrer aux travaux ménagers, à la musique et à la broderie, et certainement pas entreprendre un voyage en mer ! Cette soumission des femmes ne serait-elle qu'une façade ? Leurs robes et tous leurs jupons, leurs couches de maquillage, leurs vertigineuses perruques, tant d'artifices serviraient-ils à cacher aux yeux de tous leurs véritables aspirations ? La rencontre d'Esther lui fait prendre conscience de manière plutôt désagréable de son ignorance en matière de femmes, ce qui n'a jamais été pour lui un problème puisqu'il n'a eu que très peu de relations avec le beau sexe. Mais voilà qu'arrive cette jeune fille – sans doute un bien mauvais modèle, mais une femme tout de même – rejetée sur les rives de Québec comme elle l'a été sur son île, chez les singes.

Il grimace en se remémorant sa propre arrivée il y a bien des années, aussi décevante par certains côtés que celle d'Esther. Parti de France, l'*Éléphant*, un vaisseau splendide, s'était échoué sur les battures de l'île aux Grues et s'y était enlisé. Hocquart avait été forcé de patauger dans les eaux glacées pendant que les membres de l'équipage regagnaient la rive en courant, agiles malgré les malles et les coffres encombrants qu'ils avaient à porter, et ne s'étaient pas gênés pour rire de sa maladresse. Après s'être frappé l'orteil contre une pierre, il était tombé et il lui avait fallu l'aide d'un grand marin comptant deux fois son âge. Cela avait été un des moments les plus humiliants de sa vie.

Ce naufrage de l'*Éléphant* lui avait inspiré un projet qui allait redorer son blason : créer un chantier naval en Nouvelle-France, construire des navires plus robustes conçus pour traverser l'Atlantique, et ainsi assurer la sécurité financière de la colonie, attirer de nouveaux immigrants et rendre son nom célèbre à jamais.

Hocquart réalise soudainement que la jeune fille l'observe sous ses épais sourcils. La fille venue de la mer…

Son récit lui fait penser à la Vénus de Botticelli flottant dans sa coquille, vêtue uniquement de ses longs cheveux blonds, dont il a admiré une reproduction pendant toute son adolescence, osant à peine espérer connaître un jour une telle merveille, tout en rose et blanc, seins hauts et jambes fines. Avec son visage décharné brûlé par le soleil, Esther est à mille lieues de cette déesse de l'amour et de la beauté. Elle ne ressemble en fait à aucune autre femme. Comment Varin a-t-il bien pu deviner qu'elle en était une? Quoi qu'il en soit, son arrivée est aussi frappante que sans précédent. Lui aurait-elle été envoyée comme une sorte de présage? Mais un présage de quoi? Il n'en a aucune idée.

QUATRE

Dame un grano de mazal,
y echame en las fundinas de la mar

Donnez-moi un grain de chance
puis jetez-moi dans la mer profonde

Confinée à la maison de l'intendant depuis déjà trois
semaines, Esther mène une vie agréable aux côtés de
Marie-Thérèse, elle passe ses journées avec elle et lui
pose mille questions sur la vie à Québec. Selon la gouvernante, on ne peut rêver mieux : ici, on la respecte,
c'est le principal. Elle, fille de la campagne sans éducation, elle commande aujourd'hui une brigade de douze
domestiques, les nobles l'appellent par son prénom et
tous les marchands la saluent. Jamais une telle vie n'aurait été possible en France.

Et puis elle n'a jamais faim, comme tout le monde
ici d'ailleurs. Les habitants produisent bien plus que sa
propre famille ne pouvait le faire sur sa pauvre ferme.
En France, les paysans arrivent à peine à manger un peu
de viande, alors qu'ici les Indiens chassent et pêchent
autant qu'ils le veulent, les rivières regorgent de poisson

et les forêts de gibier, les petits fruits poussent en abon-
dance, et là où certains ne voient qu'une contrée sauvage, pour elle, c'est le paradis sur terre.

Esther est fascinée par les Indiens et voudrait tout
savoir de leurs mœurs. Marie-Thérèse en connaît malheureusement bien peu sur ces gens qui occupaient le
territoire longtemps avant que les Français ne débar-
quent avec leurs chaudrons de cuivre, leur poudre à
fusil, leurs verres de cristal et la variole. Marie-Thérèse
n'a aucune amie indienne, ne parle pas un mot de leur
langue barbare et les évite autant qu'elle le peut. Avec
toutes ces histoires à propos du massacre des si bons
missionnaires, elle reste convaincue qu'à tout moment
ils pourraient se rebeller et égorger d'innocents chrétiens dans leur lit si l'armée n'était pas là pour maîtriser
la situation. Elle n'a pas de pardon pour les coureurs
des bois qui épousent des Indiennes et engendrent des
sang-mêlé. En plus de déshonorer les Français aux yeux
des Indiens, cela est injuste pour les enfants, presque
toujours abandonnés par leurs pères qui, le plus souvent, regagnent la France.

Marie-Thérèse a beau être flattée qu'on tienne
compte de son opinion, elle se fatigue de tant de questions et finit par renvoyer Esther. Faute de se rendre
utile, aussi bien qu'elle aille lire, puisque l'intendant lui
permet de profiter de sa bibliothèque. L'étrange jeune
fille ne se le fait pas dire deux fois et court à l'autre bout
de la maison, longe la grande salle de réunion où déli-
bère le Conseil souverain et s'enferme pendant des
heures, jusqu'à ce que quelqu'un se souvienne de son

existence et qu'on l'appelle pour le souper, repas qu'elle prend maintenant – depuis son premier entretien avec Hocquart – avec les domestiques. Elle est ravie de découvrir que l'intendant possède plusieurs de ses ouvrages favoris : *L'Odyssée* d'Homère, les *Vies* de Plutarque, les *Histoires* d'Hérodote, la *Géographie* de Ptolémée, le *Voyage autour de la Terre* de Mandeville, les divers *Voyages* de Hakluyt et plusieurs autres récits comme ceux de Léon l'Africain, de François Bernier et de Christophe Colomb. Sous ses grands airs, monsieur Hocquart lui semble plutôt romantique et, pour Esther, c'est une chance de s'être retrouvée chez lui.

À part sa relation avec Marie-Thérèse, elle se mêle peu au reste de la maisonnée, elle parle à peine pendant les repas, écoute attentivement tout ce que chacun raconte de la vie quotidienne. On discute, on parle des commerçants anglais de la baie d'Hudson qui volent les plus belles fourrures, et si la France et l'Angleterre ont fait la paix, ici les escarmouches se multiplient, c'est sûr. Mais personne n'a à s'inquiéter, car le sieur de La Vérendrye et ses fils travaillent à casser le monopole britannique, c'est un héros, celui-là, un vrai patriote, oui, contrairement à ces avides marchands français qui s'enrichissent sur le dos des pauvres paysans, qui se remettent à peine d'une année de mauvaises récoltes. Et on ne parle pas seulement des récoltes, l'année a été mauvaise de mille manières : la variole a sévi et le glas sonnait trop souvent. Parlant d'église, où est donc passé monseigneur Dosquet ? Les a-t-il abandonnés pour toujours ? Voilà de quoi l'on parle à table.

Plus tard dans la soirée, Esther s'assied près de l'énorme cheminée de la cuisine avec Marie-Thérèse, et pendant que celle-ci tricote à l'aiguille ou au crochet, elle raconte à son tour. Comme elle soupçonne que ses moindres paroles seront fidèlement rapportées aux autorités, elle ajoute quantité de détails, latitude et longitude, nombre de jours passés en mer, valeur des denrées d'échange, emplacement exact des différents ports, étoffant chacun de ses récits d'une foule de détails et d'images dans l'espoir de charmer son public.

Le premier récit qu'elle fait à Marie-Thérèse raconte son enfance chez les marins espagnols, après qu'ils l'eurent sauvée.

🐟

Même si je pouvais faire le tour de mon île en deux jours, je ne m'y suis jamais sentie prisonnière. Là-bas, la nature ne cessait d'étonner : la chute qui cascadait dans la vallée, la plage des tortues, celle où nichaient les oiseaux, la prairie couverte de fleurs blanches, la caverne aux serpents venimeux, tout était pour moi à la fois unique et familier. Après avoir quitté mon île, je l'ai aimée plus encore.

Le *Santa Maria* n'était pas une prison, même si j'en avais parfois l'impression en pensant à mon paradis perdu. C'était une boîte avec l'océan comme fondement et le ciel comme couvercle, ouverte aux intempéries. Nulle part où aller sauf sur le pont ou dans la cale, il n'y avait rien à voir sauf du bois bien astiqué, des nuages, la mer à l'infini, un vol de mouettes et de temps en temps le dos gris d'un dauphin. Quand nous approchions de la terre ferme, je respirais avec bonheur l'odeur d'humus et le parfum des arbres. Rien d'autre ne vint briser la monotonie de mes premières semaines à bord.

Au fond, ce fut une bonne chose, car j'avais tout à apprendre dans ce nouvel univers de mots : je cartographiais le langage des hommes. Les singes ont beau être très expressifs, nos communications se limitaient à l'essentiel. Des phrases comme « Mauvaise fille, ne mange pas ça ! » ou « Je t'aime, viens ici que je t'épouille » ou encore « Où est le bébé ? » sont ce qu'ils peuvent exprimer de plus clair par signes ou par sons. Ils n'ont aucun intérêt pour la véritable connaissance. En fait, les singes évitent de réfléchir, car, le travail mental étant une activité solitaire, il représente pour eux une sorte de prison. Qui souhaite rester seul avec ses propres fantômes alors qu'il peut profiter de la chaleur des siens ? Qui veut rester captif de ses propres tourments quand il peut trouver le réconfort dans les bras de l'autre ?

Avec les singes, j'ai vécu une vie faite entièrement de sensations, c'est avec mon corps que j'ai appréhendé le monde. Chez eux, nous vivions au présent, la conscience du passé et de l'avenir n'était que source d'espoirs et de déceptions. Comme nous ne nous attendions pas à comprendre les causes des événements ni à les influencer, nous ne nous faisions pas de reproches quand les choses tournaient mal. Bizarrement, cela nous angoissait, puisque l'univers est imprévisible, et même si cette attitude peut paraître illogique, cela nous apportait également la paix de l'esprit, car rien n'était de notre faute.

Pour les matelots du *Santa Maria*, l'inconnu représentait une menace constante. L'océan et ses mystères, ils les craignaient et les respectaient. Leur survie dépendait entièrement de leur savoir : par où passaient les routes menant aux havres sûrs et à l'eau douce, où se trouvaient les dangereux récifs de corail, où les baleines se reproduisaient-elles, où donc étaient ces îles habitées par les cannibales ? Leur esprit ne trouvait jamais le repos, ils comparaient les faits, éliminaient les erreurs, étudiaient les probabilités. Pour eux, le raisonnement était loin d'être un luxe.

Leurs discussions philosophiques se poursuivaient jusque tard dans la nuit. Je les écoutais, couchée dans mon hamac, bercée par les mouvements du navire comme je l'avais déjà été par le vent dans les arbres. Malgré l'exiguïté des cabines, la mauvaise odeur, les ronflements, les pets et les rots ou les cris provoqués par un cauchemar, j'aimais dormir avec l'équipage, en sécurité au sein de ma nouvelle famille.

Un des matelots décida un jour de m'adopter. Il s'appelait Joaquin Fargo. Paisible, complètement chauve, il respirait bruyamment comme les asthmatiques, et une longue cicatrice rouge lui barrait le visage de la joue gauche jusqu'au-dessus du sourcil droit. Il avait une femme et trois grands enfants qui vivaient à Cadix. Sa fille aînée s'était mariée avant qu'il entreprenne ce voyage et, pour ce qu'il en savait, elle devait déjà être enceinte de son premier petit-fils. Il y avait de fortes chances que ce petit sache marcher avant son retour, s'il survivait à son premier anniversaire.

Il me confiait tout cela sans angoisse, comme si rater la plupart des grands moments de sa vie n'avait pas d'importance. Il s'était trouvé en mer à la naissance de chacun de ses trois enfants, qu'il avait très peu connus. Chaque fois, il promettait à Estella, sa femme, qu'il abandonnerait la navigation dès qu'il aurait gagné assez d'argent. Ils rêvaient de retourner au village de son beau-père et d'y acheter une terre avec un verger, quelques chèvres et peut-être des abeilles. Que faut-il de plus à un homme que le soleil, une poignée d'olives et un morceau de pain couvert de miel?

Après un mois ou deux à quai, Joaquin finissait par s'impatienter. Au bout de deux mois, il arpentait le port comme un chien en laisse. Quinze jours plus tard, il s'engageait pour un dernier voyage. Sur la rive, la pauvre Estella l'implorait, alors que lui, les larmes aux yeux, savait tout de même qu'au fond de son cœur il avait pris la bonne décision. Je comprenais le dilemme de ces hommes, moi qui avais aussi quitté ma famille pour l'océan. Ce que je n'arrivais pas à comprendre, pas plus qu'ils ne parvenaient à me l'expliquer, d'ailleurs, c'était la raison pour laquelle il n'y avait pas d'autres femmes à bord et, si ce qu'ils disaient était vrai, sur aucun autre bateau.

Étais-je la seule femme au monde attirée par la mer? Je m'étais éloignée des singes à cause de cette obsession. Maintenant que je vivais avec des gens qui partageaient cette idée, ma solitude était tout autre. Chaque fois que le *Santa Maria* faisait escale pour échanger des marchandises ou refaire nos réserves, j'avais ordre de rester cachée à bord comme un objet de honte. Joaquin avait beau dire que c'était pour ma propre sécurité, je n'y croyais pas. Alors, dans mes habits de garçon, j'observais en secret du haut du pont le quai grouillant de monde pour voir de quoi avaient l'air les autres femmes.

Aucune ne me ressemblait. Le corps drapé dans des tissus aux couleurs éclatantes, la tête coiffée de turbans tout aussi colorés, des colliers de verroterie au cou, des anneaux d'or dans les oreilles, elles riaient, elles se chamaillaient ou chantaient doucement pour les bébés nus qu'elles balançaient sur leur hanche. Certaines portaient des paniers de fruits en équilibre sur leur tête, d'autres assises derrière leurs étals annonçaient à grands cris leurs prix aux passants. D'autres encore allaitaient leurs petits, les seins nus, des seins gros comme je n'en avais jamais vu chez les singes. Je ne peux pas croire que j'en aurai un jour de semblables.

À côté de ces femmes radieuses et si calmes, les hommes suaient à grosses gouttes, juraient, tiraient des cordages, portaient d'énormes caisses et des ballots de tissus. Plus grands que les femmes, plus violents – surtout lorsqu'ils étaient ivres, ce qui semblait arriver fréquemment –, et aussi plus bruyants. Quelques-uns buvaient jusqu'à en vomir, crachaient une bile verdâtre sur le quai, d'autres s'évanouissaient en gémissant, certains se contentaient de paresser à l'ombre, fumant et jouant à des jeux de hasard. Un jour, j'ai vu une partie mal se terminer, l'éclair d'un couteau a jailli de nulle part. Cette fois, le quai était rouge de sang. J'en ai presque perdu connaissance, c'est bien la preuve que je ne suis pas un homme. Est-ce que je serai toujours différente de tous ceux qui m'entourent ? Est-ce qu'un jour je finirai par trouver ma place ?

Je confiai mes craintes à Joaquin, qui m'écouta le plus sérieusement du monde, approuvant de temps à autre en silence. Il me fit asseoir avec lui sur le beaupré pour voir la lune se lever et me conter une histoire qui pourrait peut-être m'aider. Un jour, si cela vous plaît, Marie-Thérèse, je vous la raconterai.

ༀ

Marie-Thérèse voudrait bien l'entendre tout de suite, cette histoire, mais elle découvre un nouveau plaisir, celui d'attendre, d'espérer le prochain épisode, de sorte que le bonheur n'en soit que plus grand. Elle qui a passé sa vie à travailler sans relâche n'a pas l'habitude des divertissements. Les deux mains occupées à ses tâches domestiques, elle revit en pensée le récit d'Esther et s'en fait l'héroïne. Elle pleure, comme Esther, le paradis perdu de son enfance. Elle arrive mal à se représenter un singe, n'ayant aperçu qu'une seule fois, dans une foire, celui d'un joueur d'orgue de Barbarie, mais lorsqu'elle pense à son défunt chat Minou, elle imagine facilement l'immense bonheur de vivre au milieu d'animaux. Les hommes ivres, les joueurs, les mères qui allai-

57

tent leur bébé, tout cela, elle le connaît bien. Et comme elle a elle aussi voyagé sur un grand navire lors de sa venue en Nouvelle-France quinze ans plus tôt, elle peut aisément se faire une idée de la vie d'Esther sur le *Santa Maria.*

La plupart des passagers avaient été malades pendant la traversée, mais pas elle. Pour la première fois de sa vie, elle n'avait rien à faire, elle avait donc passé de longs moments sur le pont à contempler l'océan. Elle dont la jeunesse avait été dictée par des règles aussi étouffantes que des murs de pierre ne voyait maintenant autour d'elle que la mer et le ciel toujours en mouvement. Les nuages couraient au-dessus de sa tête, les oiseaux planaient à des hauteurs vertigineuses et plongeaient dans les vagues pour en ressortir un poisson dans le bec. Grisée par tant de liberté, elle se serait bien vue s'envoler avec eux.

Ce rêve avait fondu comme neige au soleil lorsqu'elle avait dû reprendre sa routine, préparer les repas, faire le ménage et servir des hommes bourrés de soucis. À part l'apparition sporadique d'un Indien à demi nu dans ses peaux de chevreuil ou d'un immense orignal, la vie en Nouvelle-France ne diffère pas tellement de son ancienne vie. Elle est née pour servir les autres. Ici au moins, son ardeur au travail lui a permis de gravir rapidement tous les échelons jusqu'au poste de gouvernante. Monsieur Hocquart est aimable, il la traite bien, mais ne lui parle à peu près jamais sauf pour lui donner ses instructions. Toutes deux mariées, la blanchisseuse et la cuisinière habitent à l'extérieur ; elles passent leurs journées à parler de leurs enfants et de leur mari et, dans le cas de la cuisinière, de ses petits-enfants. Elles restent polies envers Marie-Thérèse, mais la tiennent la plupart du temps à l'écart de leurs conversations.

Sans jamais avoir pris le temps d'y réfléchir, elle réalise aujourd'hui que, avant l'arrivée d'Esther, elle a toujours été seule. La jeune fille est vite devenue sa compagne de tous les instants et ne manifeste aucun désir de se lier d'amitié avec les servantes de son âge. Pour leur part, même si elles sont intriguées par cette visiteuse au parcours exotique, les filles de cuisine et les femmes de chambre s'intéressent surtout aux garçons d'étable, aux jardiniers ou à ceux qui travaillent à la prison. Tous ces jeunes hommes sont fascinés par Esther, mais elle reste imperméable à leurs efforts de séduction et refuse leurs avances. Maladroite dans les longues robes qu'on l'oblige à porter, elle trébuche souvent, soulève alors ses jupes à pleines mains, révélant ainsi plus de jambe que ne le permettent les convenances. Lorsque monsieur Hocquart l'a récemment réprimandée à ce propos, elle a rétorqué qu'il devrait porter une robe de temps à autre pour voir comment il s'en tirerait, ce qui a cloué le bec au pauvre homme et forcé Marie-Thérèse à sortir de la pièce en courant, prise d'un irrésistible fou rire à l'idée de son patron rondelet entortillé dans les dentelles.

Tous les conseils qu'on donne à Esther à propos de la féminité et des manières de se vêtir l'énervent au plus haut point. Elle ne se soucie guère de son allure, brosse trop rarement sa crinière de jais, ce qui a le don d'exaspérer Marie-Thérèse qui la force à se tenir tranquille pendant qu'avec un peigne elle essaie de démêler ses boucles pleines de nœuds. Elle lui frotte les ongles avec la brosse à légumes et les taille avec un couteau de cuisine en bougonnant, affirmant que, comme elle est aussi crottée qu'une pomme de terre, elle mérite d'être traitée comme telle.

Un jour, pendant qu'elle soumet sa pupille à une toilette forcée, Marie-Thérèse lui demande si elle aura enfin droit à l'histoire promise, celle que Joaquin lui avait racontée sur le navire. Esther se lance aussitôt dans un récit d'une complexité encore jamais égalée.

⤫

Joaquin me raconta qu'il avait effectué son premier voyage comme mousse à l'âge de quinze ans. Il était alors maigre comme un clou. Les hommes de sa famille, pêcheurs de père en fils, avaient toujours vécu de la mer. Joaquin était le premier à s'aventurer aussi loin de son village, à filer vers Cadix à la recherche des magnifiques brigantins que l'on voyait parfois doubler le détroit de Gibraltar. Il souhaitait ardemment sillonner un jour l'Atlantique comme ces élégants navires vers les terres mystérieuses qui regorgeaient d'or, d'argent et d'épices. Il rêvait aussi d'Indiens, de forêts, de montagnes sauvages, et dès que son âge le lui permit, il prit le large.

Ses premiers voyages se déroulèrent sans incident. Les navires rentraient des Antilles chargés de sucre, de muscade, de cannelle et de café et, pour lui qui avait grandi dans les fortes odeurs de poisson, ces nouveaux parfums évoquaient le paradis. À chaque retour, il passait deux semaines à la maison, toujours plus grand, toujours plus fort, rapportant des cadeaux pour toute la famille et les poches remplies d'argent. Il avait maintenant un métier et un petit capital, tout le monde au village le respectait. Même sa mère si craintive finit par admettre que ses ambitions étaient, après tout, plutôt raisonnables. Travailler sur un grand vaisseau était peut-être plus sûr et plus rentable que de le faire sur les barques de pêche qui avaient coûté la vie à son frère et à son mari.

Le troisième voyage commença mal. Lorsque sur les quais un jeune homme lui signala que l'*Imperio* allait bientôt appareiller pour les côtes d'Afrique de l'Ouest, il s'engagea sans réfléchir, et Dieu allait le maudire pour sa bêtise. L'équipage se révéla une bande de vauriens et le capitaine un homme violent qui n'hésitait pas à user de son fouet. Tout le long de la côte, Joaquin serrait entre ses doigts sa médaille de saint Christophe, patron des voyageurs, et implorait ce dernier de le ramener auprès de sa mère. Lorsqu'ils atteignirent la Guinée, ce fut pire, les cargaisons qu'ils embarquaient chaque jour depuis un mois n'avaient rien à voir avec des produits exotiques, il s'agissait d'humains, des hommes et des femmes d'une grande élégance, la peau lisse comme l'ébène sous leurs guenilles et leurs colliers de perles colorées.

Ces gens eurent beau implorer l'équipage à grands cris, on les poussa dans la cale à coups de crosse et de fouet. Les hommes furent enchaînés d'un côté, les femmes et les enfants entassés de l'autre, mais sans entraves. Les prisonniers vivaient dans des odeurs de sueur, de vomi et d'urine, pires encore que dans le quartier des matelots ; on leur permettait très rarement de monter sur le pont prendre un peu d'air. Il n'y avait pas assez à boire ni à manger pour tout le monde. Certains qui avaient dû marcher pendant des jours depuis l'intérieur des terres étaient arrivés affamés ou blessés, d'autres tombaient malades du fait des terribles conditions de vie auxquelles ils étaient soumis.

Le bateau finit par prendre la mer et quitter cet endroit maudit. Joaquin s'appliqua à bien faire son travail de mousse pour s'empêcher de penser à ces pauvres gens, mais au bout de trois jours, deux prisonniers périrent. D'abord une femme squelettique, enceinte à l'insu de tout le monde, avorta dans une mare de sang pendant que son mari hurlait et tentait de la rejoindre de l'autre côté de la cale ; un adolescent pris d'une forte fièvre qui réclamait sa mère dans un affreux délire succomba à son tour. Les corps ne furent pas sitôt balancés à la mer qu'une tempête tropicale éclata, des vagues monstrueuses battaient les flancs du navire. Les esclaves hurlaient du fond de leur prison fétide, les membres de l'équipage se ruaient sur le pont. Comme Joaquin était le plus jeune et le plus agile, c'est lui qu'on envoya ramper sur la bôme pour ariser la voile. Balayant sauvagement le pont, elle vira au-dessus de l'eau et Joaquin fut catapulté dans la mer comme sous le coup d'une chiquenaude. Bien trop occupés à sauver le navire et sa cargaison d'esclaves pour s'inquiéter d'un petit mousse

condamné d'avance, les membres de l'équipage l'abandonnèrent à son sort sans une pensée pour lui.

Joaquin faillit s'évanouir au contact de l'eau glacée,
il se débattait, appelait à l'aide dès que sa tête émergeait
des vagues, puis il renonça, hébété, résigné au sort que
lui avait prédit sa mère. En mourant, et c'était là son
plus grand regret, il la condamnait à finir sa vie dans ses
vêtements de deuil alors qu'il aurait tant souhaité lui
offrir les services d'une domestique et des robes de soie.
Avant d'entreprendre ce dernier voyage, il avait promis
de lui rapporter un perroquet qui lui aurait tenu compagnie, il s'était informé auprès des autres matelots à
savoir quel était le meilleur endroit pour s'en procurer
un qui parlait, mais ils s'étaient tout bêtement moqués
de lui. Ce furent ses dernières pensées.

Et puis, Dieu sait au bout de combien de temps, il
s'éveilla, la tête dans des éclats de coquillages. Les vagues
lui léchaient les pieds comme l'aurait fait un bon chien.
Il tenta de bouger les bras et les jambes, tous ses
membres lui faisaient mal, sa jambe gauche était brisée,
il en était certain. Le pire, c'est qu'il n'y voyait plus rien,
rien du tout, même les yeux grands ouverts. Il passa les
mains devant son visage et capta à peine un léger mouvement de l'air. Il cligna plusieurs fois, les muscles fonc-
tionnaient. Il toucha ses yeux fermés, un à la fois. Les
orbites lui semblèrent intactes, aussi fermes que des rai-
sins, et sous la pression de ses doigts ses paupières fré-
mirent, pleines de sable.

Quelle serait sa vie, aveugle ? Il se souvint d'un vieil
homme de son village qui empestait dans ses guenilles,

assis toute la journée devant l'église, les mains tendues pour une pièce. Il chantait, murmurait une mélodie monotone ou offrait de prier pour ceux qui lui faisaient l'aumône. Si sa vie devait ressembler à celle-là, se dit Joaquin, aussi bien mourir tout de suite.

Mais peut-être était-il déjà mort, dans les limbes en attente d'être jugé? Que savait-on des limbes, au juste? Que c'était un lieu de passage, comme cette plage, une sorte de nulle part, comme cette plage, un endroit peuplé d'âmes égarées, comme cette plage – du moins si c'est là qu'il se trouvait, aussi égaré qu'une âme peut l'être. À vrai dire, il n'avait pas la moindre idée de la gravité de ses péchés. À l'école, il avait récité le catéchisme sans réelle ferveur, il s'était souvent moqué du prêtre dans son dos. Adulte, il avait refusé d'accompagner sa mère à la messe, une manière de plus de la décevoir. Il revit la dernière image qu'il gardait d'elle, figée comme une statue dans l'embrasure de la porte, le suppliant de ne pas prendre la mer. Il s'était entêté à dire que c'était son devoir. Alors elle avait rabattu son tablier sur sa tête et s'était mise à gémir. Elle allait le perdre comme elle avait perdu son père. Agacé, il était parti sans l'embrasser, sans même un au revoir. C'était là son plus grand péché.

À part quelques oranges subtilisées à un voisin et des olives à un autre, ou le fait d'avoir déclaré son amour à plusieurs filles en échange de baisers plus doux que les oranges et plus amers que les olives encore vertes, il n'avait commis aucun crime majeur. Il avait la conscience tranquille, pas de vol, pas de meurtre ni d'adultère même s'il avait eu plusieurs fois l'envie ou l'occasion de le faire, entre autres avec une jeune femme constellée de taches de rousseur, derrière le poulailler. Il avait toujours été généreux, n'avait jamais hésité à donner aux moins nantis, même en sachant qu'ils ne le rembourseraient jamais.

Il revoyait ses quelques mesquineries et ses rares gestes de bravoure, se rappelant que, au moment de mourir, la vie d'un homme est censée défiler devant ses yeux. Je suis donc mort, conclut-il, soulagé d'avoir résolu au moins un mystère. Soudain, il entendit des pas, une main caressa tendrement son visage et une voix de femme lui murmura à l'oreille des mots qu'il crut reconnaître et qui l'apaisèrent. Un peu moins angoissé, il décida d'attendre ce que le sort lui réservait.

Quelqu'un approcha de ses lèvres un gobelet de bois, il avala goulûment l'eau qu'on lui offrait. On lui retira ses vêtements détrempés, on enduisit ses blessures de pommade parfumée, on le souleva pour le placer dans une sorte de hamac fixé à deux perches, puis on le transporta sur une longue distance.

Pendant combien de temps? Il n'aurait su le dire, passant de la conscience à l'inconscience, épuisé, bercé par le mouvement régulier du hamac. Il parvint à déduire qu'ils avançaient en terrain rocailleux, ensuite – il en était certain – ils gravirent une pente pendant un bon moment. Quelqu'un trébucha, on faillit le laisser tomber et, quand il échappa un cri de douleur, on lui murmura des excuses dans cette langue vaguement familière. Joaquin entendit des chants d'oiseaux, celui des goélands qu'il connaissait bien, et d'autres qui lui étaient tout à fait inconnus. Les arbres bruissaient sous le vent, et lorsqu'ils avançaient en terrain découvert, le soleil tapait fort sur son pauvre visage. Il était partout et nulle part à la fois, rescapé et perdu, seul au milieu de parfaits étrangers.

Les jours passèrent, ou étaient-ce des heures? Le temps avait perdu tout son sens. Rien d'autre à faire que de se laisser bercer, prendre des pauses, boire et dormir comme un bébé dans les bras de sa mère. À sa grande surprise, il savait s'accommoder de cette vie indolente à laquelle il n'avait pas été habitué.

Ils pénétrèrent finalement dans un endroit frais, une grotte? On pendit son hamac au-dessus du sol de manière à protéger sa jambe blessée et il continua à se balancer comme si le voyage se poursuivait toujours. Quelqu'un lui parla avec bonté et lui fit avaler une soupe épaisse et agréablement parfumée, faite d'une sorte de céréale, de fèves et de morceaux de poisson. L'odeur le réconforta, c'était le meilleur repas qu'il prenait depuis qu'il avait quitté l'Espagne, mais il y goûta à peine, son estomac se souleva, il avait avalé trop d'eau de mer.

L'esprit chamboulé, trop fatigué pour chercher à percer l'identité mystérieuse de ses sauveteurs, il s'abandonna au sommeil, persuadé que ces gens ne lui voulaient aucun mal. Autour de lui, des rires, des voix de femmes et d'enfants, des parfums délicats. Où qu'il fût, il y était infiniment mieux que dans l'enfer de l'*Imperio*.

Il lui fallut des jours avant de pouvoir se lever,

appuyé sur un bâton à cause de sa cheville brisée. Il n'avait pas recouvré la vue, mais il entendait parfaitement, il savait maintenant que ses hôtes parlaient une langue apparentée à l'espagnol et il en conclut que, après la tempête, il avait dû s'échouer sur les rives d'une ancienne colonie d'Amérique. Les habitants avaient en effet déjà entendu parler de l'Espagne, et des navires espagnols s'arrêtaient à l'occasion. Un jour, l'un d'eux pourrait peut-être le ramener chez lui. Il n'éprouvait toutefois aucune urgence à quitter ces gens si accueillants, il aimait leurs voix paisibles et leur musique empreinte de nostalgie. Qu'ils préfèrent taire leurs origines autant que l'emplacement précis de leur île laissait Joaquin perplexe, et il attribuait cette réticence à leur isolement, à leurs conditions de vie primitives et à sa propre difficulté à comprendre.

Les jours se transformèrent en semaines, il les comprenait de mieux en mieux et ils arrivaient eux aussi à le comprendre. L'endroit s'appelait Fogo et ils parlaient *kriolou*. Il était persuadé d'y être déjà venu, dans une autre vie peut-être? Serait-il possible qu'il ait dérivé jusqu'à l'une de ces îles dont on parle dans les récits de voyage, ces lieux mystérieux qui émergent des brumes une fois tous les cinquante ans?

Il se lia d'amitié avec la jeune fille qui lui avait sauvé la vie sur la plage. Elle s'appelait Aissata, elle avait seize ans comme lui, deux grands frères comme lui aussi, et son père était mort, comme le sien, c'était son âme sœur. Joaquin passait son temps à inventer des plaisanteries juste pour le plaisir d'entendre son rire en cascades. Le rire d'Aissata, comme une délivrance, lui faisait croire que la vie valait la peine d'être vécue. Le rire d'Aissata, une promesse que rien de mal ne pouvait plus lui arriver.

Par un jour de grand vent, alors que Joaquin aidait à transporter des brassées de bois pour le feu, un cri d'alarme retentit, suivi par des coups de pistolets et des aboiements furieux. L'odeur de la poudre à fusil flottait dans l'air. Terrifié, il dut s'appuyer au mur de la caverne. Autour de lui, les corps tournoyaient dans tous les sens, ça courait, ça se battait, ça s'effondrait. Des inconnus puant la sueur et la crasse repoussèrent brutalement le pauvre Joaquin pendant que les autres étaient rassemblés et menés sur la plage. À part les pleurs des enfants, la petite colonie demeurait étrangement silencieuse. Joaquin continua d'appeler au secours, mais ses cris restèrent sans réponse.

Les étrangers parlaient portugais. Des corsaires ! se dit Joaquin. Et il était là sans défense, sans armes, et aveugle par surcroît ! Ils allaient sans doute l'exécuter dès qu'ils auraient tout pillé. S'ils l'avaient ignoré jusqu'ici, c'est qu'un aveugle ne présentait aucun intérêt. Joaquin se signa, récita une courte prière et attendit patiemment la mort, celle à qui il avait récemment joué un tour, mais qui finalement le rattrapait.

L'un des pirates lui demanda en espagnol s'il allait bien. Joaquin répliqua vivement que c'était le sort des autres qui lui importait, pas le sien. Dans un grand éclat de rire, l'homme lui demanda pourquoi il s'inquiétait d'une bande de sauvages, noirs en plus.

Noirs?

Oui, lui répondit l'homme, des esclaves en fuite cachés dans les collines, mais qui allaient bientôt être rendus à leurs maîtres.

Comment était-ce possible? Ils étaient gentils, courtois, n'avaient rien à voir avec les misérables enchaînés sous le pont de l'*Imperio,* hurlant et gémissant dans une langue barbare. Leurs mets était raffinés, leurs chansons merveilleuses, ils étaient aussi civilisés que les Espagnols qu'il connaissait, et peut-être plus que la majorité d'entre eux. Tout cela dépassait l'entendement.

Le sang bourdonnait dans les oreilles de Joaquin, au point qu'il eut peur de s'évanouir. Il se laissa emmener sur un bateau amarré dans la rade. Une fois à bord, il entendit des murmures, devina la présence de nombreux corps, mais il se tint à l'écart. Il se sentait trahi. Pourquoi Aissata ne lui avait-elle pas dit qu'elle était noire? Comment avait-elle pu le ridiculiser à ce point?

De son côté, il n'avait jamais pensé à dire qu'il était blanc, mais il n'avait pas eu besoin de le faire, elle avait pu s'en rendre compte aisément. Elle savait qu'il était aveugle et elle lui avait menti. C'est par la ruse qu'elle avait obtenu sa gratitude, son amitié. Son amour, peut-être.

Dire qu'il avait rêvé de l'épouser et de la ramener en Espagne! Il avait déjà imaginé la joie de sa mère, et sa fierté de le voir revenir – vivant! – au bras d'une si charmante épouse, la fille dont elle avait rêvé. Il y aurait eu un grand mariage à l'église, ils auraient habité avec sa mère qui aurait pris soin des enfants. Même aveugle, il aurait pu travailler pour ses frères à raccommoder les filets de pêche, à s'occuper des bateaux, à vider et à nettoyer les poissons. Ils auraient vécu heureux, et longtemps, tous les deux. D'avoir envisagé de vivre avec une misérable esclave noire le rendait malade. Sa mère aurait préféré le savoir mort plutôt que de le voir rentrer au pays avec une femme de cette espèce.

Mais Aissata ne se voyait peut-être pas « noire », songea-t-il, pas plus que lui ne se voyait « blanc » ? On ne remarque que la couleur de l'autre. À ses yeux à elle, elle était simplement Aissata, la chère Aissata qu'elle avait été pour lui jusqu'à ce jour. Quand il pensait à elle, les mots *noir* et *esclave* perdaient toute leur signification. Jamais de sa vie il n'avait été aussi proche de quelqu'un.

Lui qui avait toujours été fier d'agir, et non de réfléchir, trouvait la chose si étonnante qu'il en frémit. Se pouvait-il que la couleur de la peau ne veuille rien dire ? Pas plus que la couleur des yeux ou celle des cheveux ? Son cœur lui disait qu'Aissata était aussi bonne que lui, voire meilleure. Il savait qu'elle ne méritait pas d'être esclave et, si elle ne le méritait pas, personne sans doute ne le méritait.

Joaquin restait assis, silencieux, fouetté par le vent, la peau salée par les embruns, loin du reste du monde. Son esprit se débattait avec des idées auxquelles il n'avait jamais vraiment voulu réfléchir au cours de toutes ces années perdues d'éducation séculière et religieuse : qu'est-ce que l'âme, a-t-elle quelque chose à voir avec le corps qui l'emprisonne, et si un être est fondamentalement bon, a-t-on à se préoccuper de sa race ou de sa religion?

Lorsqu'on lui offrit une gourde d'eau et que, distrait, il en renversa sur ses genoux, il émergea enfin de ses méditations. Bourré de remords, il se mit à réclamer Aissata, disant qu'il allait la sauver, qu'il l'aimait, mais les soldats lui intimèrent de se taire. Il s'obstina, alors ils le frappèrent sur l'oreille et menacèrent de le balancer aux requins. C'est au moment de débarquer que la voix d'Aissata lui parvint, la voix flûtée d'Aissata qui l'exhortait à défendre sa liberté, pour elle, par amour pour elle. Et de ne jamais l'oublier.

Et puis, il ne l'entendit plus.

Les marins ramenèrent Joaquin dans leurs quartiers où ils insistèrent pour qu'il revête des vêtements « européens ». Puis ils le firent boire. Jusqu'à ce jour, il avait toujours évité l'alcool, révolté par le comportement imbécile de ses compagnons de bord une fois qu'ils avaient débouché une bouteille. Mais il comprenait aujourd'hui qu'un homme n'avait souvent d'autre choix que de chercher l'oubli au moment où sa vie devenait intenable.

✤ CINQ ✤

*La hambre y el frio
traen à la puerta del enemigo*

Le froid et la faim
mènent à la porte de l'ennemi

Une fois son récit achevé, Esther se lève, la voix brisée,
l'inspiration aussi. Sa toilette est terminée, ses cheveux
brillent, bien lisses, et ses ongles sont propres.

Médusée, la bouche grande ouverte, Marie-Thérèse
oublie cette fois de cacher ses vilaines dents derrière sa
main.

— Et qu'arrive-t-il ensuite ? demande-t-elle.

— Joaquin a trouvé un bateau espagnol et il est rentré chez lui.

— Ça ne peut pas finir comme ça ! Parce que,
quand vous l'avez connu, il n'était pas aveugle.

— Non, ça ne se termine pas comme ça. Rien ne
vous échappe, Marie-Thérèse. Mais je suis fatiguée et
tout ce que je veux, c'est une de vos délicieuses galettes.

— Je les réserve pour le souper de monsieur Hocquart. Vous savez combien il aime les douceurs.

— Mais moi aussi !

— Alors, faites-en vous-même. Et cessez de me dire que vous ne savez pas comment vous y prendre.

Monsieur Hocquart a à son emploi une cuisinière et deux aides-cuisinières, autant pour nourrir de grandes tablées que pour satisfaire son penchant pour la bonne chère, mais c'est à Marie-Thérèse que revient la charge des desserts, sa spécialité et le moment du repas qu'elle préfère. À cause de quelques commentaires échappés par inadvertance, Esther a fini par révéler qu'elle en connaît un bout en cuisine, en pâtisserie surtout. D'abord réticente, puis avec de plus en plus d'enthousiasme, Esther révèle enfin tout son talent. Son désir de plaire à l'intendant et de se rendre indispensable à ses yeux l'emporte sur sa crainte de trop se dévoiler.

Sans qu'elle ait pu le prévoir, ses nouvelles tâches lui offrent deux avantages : puisqu'elle sait maintenant se rendre utile, monsieur Hocquart a une bonne excuse pour ne pas l'emprisonner, et il lui accorde enfin le droit de sortir du domaine et d'accompagner Marie-Thérèse au marché. Avec ses étables et sa boulangerie, la prison et le palais de justice, la propriété de l'intendant a des allures de village miniature, mais après un mois de détention Esther en a vite fait le tour. Elle veut tout connaître de Québec, et de leur côté, les gens de la ville voudraient bien voir de près cette fille qui suscite tant d'incroyables rumeurs.

Aux dires de certains, l'enfant sauvage est moitié bête, moitié femme. Elle a le visage entièrement couvert d'une épaisse toison brune, elle déchire la viande crue à grands coups de crocs et, comme elle est trop rétive pour qu'on la garde dans la maison, elle vit dans l'étable, où elle arrive même à terroriser les chevaux. D'autres la décrivent comme une charmante princesse qui parle toutes les langues du monde civilisé, qui sait jouer de tous les instruments sans partition et qui chante d'une voix d'ange. Les plus crédules sont bien désappointés d'apprendre que cet être mythique n'est finalement qu'une petite noiraude qui marchande le prix du beurre. Contrairement aux boulangers de la place, Esther préfère le beurre au saindoux, car l'odeur du gras de porc gâche la pâtisserie fine.

Esther et Marie-Thérèse flânent parfois en rentrant du marché, elles prennent le temps d'admirer les couleurs flamboyantes de l'automne : une sorte de rituel à Québec, où chacun avoue être prêt à payer pour chaque instant de cette beauté passagère avant que les mois d'hiver n'installent leur grisaille. C'est en octobre qu'on voit le monde tel que Dieu l'a voulu, tout de couleur et de lumière, chaque brindille, chaque feuille nettement découpée, et l'air aussi vivifiant qu'un bon vin. Cela, dit Esther, lui rappelle un jour où, en Méditerranée, elle avait observé des bancs de poissons dorés.

En regardant le ciel, elle est tout à coup prise de vertige comme si elle regardait vers le sol. Le haut et le bas inversés, abîme et sublime confondus, comme si la matière s'était dissoute et que ses particules élémentaires restaient en suspension dans l'espace.

Lorsque Esther s'exprime ainsi, Marie-Thérèse est toujours prise au dépourvu, mais se réjouit de la voir heureuse. Sachant combien elle est impatiente de voir du nouveau, la gouvernante obtient un jour de monsieur Hocquart la permission de lui offrir un petit plaisir. Elles descendent d'abord au port, qu'Esther n'a pas revu depuis le jour de son arrivée. Alors que, du pont du *Saint-Michel*, il lui était apparu comme un paradis, elle l'avait vu d'un tout autre œil après avoir été arrêtée par Varin : des hommes hargneux et gueulards qui la regardaient de travers, un sol boueux, des cris vides de sens. Aujourd'hui, c'est un tableau plus heureux qui s'offre à ses yeux et elle admire avec bonheur la pointe De Lévy, juste en face. Sous un ciel sans nuages, sur le fleuve inondé de lumière, elles traversent vers l'île d'Orléans avec un groupe de fermiers et de pêcheurs qui chantent *À la claire fontaine* et *Auprès de ma blonde*, des chansons qu'Esther connaît bien. Elle s'étonne de voir Marie-Thérèse oublier ses manières de servante avec ces gens tout ordinaires. Esther hésite un peu et se met à chanter elle aussi. Pour la première fois depuis qu'elle est en Nouvelle-France, personne ne cherche à savoir qui elle est ni où elle va, pas de regards méfiants ou soupçonneux, et un tel anonymat, c'est la liberté.

Une fois sur l'île, Marie-Thérèse loue une carriole avec conducteur et demande qu'on les mène à une ferme toute proche où l'on cultive sa variété de pommes préférée, la Fameuse, célèbre pour sa chair blanche qui rappelle la neige. Originaire de Normandie, Marie-Thérèse s'y connaît en pommes. À la ferme, elles se contentent de regarder un garçon les cueillir pour elles jusqu'à ce qu'Esther, débordante d'énergie depuis sa balade sur le fleuve, demande à le faire elle-même. Elle grimpe aux arbres avec autant d'aisance que dans le gréement du *Saint-Michel* et refuse de redescendre tant qu'elle n'a pas rempli son panier de ces fruits dont le parfum rivalise avec celui des fleurs. Au retour, elle propose de faire le dessert du soir, une tarte fine que monsieur Hocquart décidera dès lors de mettre au menu au moins une fois par semaine.

La tarte aux pommes ne peut toutefois pas faire concurrence au chocolat, péché mignon de Hocquart. Esther aime tant le chocolat qu'elle a apporté de France des fèves de cacao, ce qui n'avait pas manqué d'intriguer monsieur Varin quand on avait fouillé son bagage, ces graines lui étant inconnues. Quand elle avait expliqué qu'elle aimait en manger, il s'était mis à rire et lui avait permis de les garder. Maintenant qu'elle a découvert le côté gourmand de Hocquart, elle est tout heureuse de ne pas avoir été privée de son trésor.

Curieuse, Marie-Thérèse la regarde rôtir une poignée de fèves sur le feu, les écaler et les piler dans un mortier avant de leur ajouter deux amandes et une noisette. Elle fait chauffer la mixture granuleuse avec du sucre, de l'eau, une gousse de vanille, un mélange de cannelle et de muscade, elle y ajoute un œuf, fouette l'épais mélange avec un moussoir de bois, aussi apporté de France. Puis elle le verse dans une tasse et le présente à monsieur Hocquart.

Il est aux anges, déclare que le chocolat d'Esther est le plus raffiné qu'il ait jamais goûté, meilleur que celui que l'on sert dans les maisons huppées de France, meilleur que celui que boit Beauharnois tous les matins au petit déjeuner pour se donner de l'énergie en vue de ses conquêtes tant amoureuses que militaires. Hocquart a souvent bu du chocolat chez l'un et chez l'autre, mais personne parmi son personnel ne sait bien le préparer. Maintenant qu'il a découvert ce talent chez Esther, il veut en boire matin, midi et soir, il exige que Marie-Thérèse se renseigne auprès de la gouvernante de Beauharnois pour savoir où se procurer ces merveilleuses fèves, et lui demande d'acheter la plus grande casserole qu'elle peut trouver pour qu'il puisse en servir à ses invités.

Entre-temps, Varin de La Marre est revenu plus d'une fois, comme il l'avait promis. Marie-Thérèse attend toujours sa visite avec impatience. Contrairement à Hocquart, qui se trouble en présence des femmes – même en sa présence à elle –, ou à Beauharnois, pour qui elle n'est rien de plus qu'un meuble, Varin sait être à la fois aimable et ambigu, flatteur à l'endroit de la gouvernante qui en retour lui ressert à boire et à manger, ravie de son bel appétit. Il va jusqu'à la consulter quant à l'élégance de ses vêtements, comme si une fille de ferme pouvait se prononcer au sujet de la mode masculine. Marie-Thérèse sait que la réponse du ministre de la Marine au premier rapport de Varin n'arrivera pas avant le printemps, car aucun navire n'a le temps de revenir de France avant que le port soit pris dans les glaces. Pour l'instant, Esther n'a donc rien à craindre. Elle est nourrie et logée, et Marie-Thérèse se plaît en sa compagnie. Étant donné le caractère rebelle de la jeune fille, elles ne peuvent rien demander, rien espérer de plus.

Esther reste sur ses gardes. Tenir sa langue lui évite quantité de problèmes ; aux questions de Varin, elle feint l'ignorance ou se contente de répondre par un haussement d'épaules. Elle avoue avoir voyagé sous une fausse identité, mais maintient qu'il n'y avait là rien de malveillant. Sans recommandation, sans famille, comment aurait-elle pu venir en Nouvelle-France, si ce n'est en se faisant passer pour un garçon ? Maintenant qu'elle est ici, elle ne s'attend à aucun traitement de faveur. Elle est forte, elle saura gagner son pain et assure à Varin qu'elle ne souhaite pas vivre aux crochets de la colonie ni profiter de passe-droits de la part des autorités. Mais, quoique poli, Varin reste déterminé.

— Brandeau, n'est-ce pas ? Où ai-je donc entendu ce nom ? Un vignoble en Gascogne, je crois. Vous êtes donc du Sud ?

— J'ai embarqué sur le *Saint-Michel* à La Rochelle.

— Je vous ai demandé d'où vous venez, pas le lieu de votre embarquement.

— Je vous l'ai dit, mais vous refusez de me croire.

— Aucune personne sensée ne saurait vous croire.

Esther décide qu'il est temps de lui servir une tasse de chocolat, diversion bienvenue pour l'un comme pour l'autre. Elle disparaît à la cuisine, revient au bout d'un moment avec une petite tasse de porcelaine, et se tient derrière le fauteuil de Varin comme une humble servante, attitude qui, elle l'espère pour l'instant, fera en sorte qu'elle ne soit pas renvoyée. Chaque fois que Varin dépose sa tasse, elle fouette son chocolat d'un coup de moussoir.

Il la félicite, passe la langue sur ses lèvres après chaque gorgée, racle le fond de sa tasse avec sa cuillère, mais tient à lui rappeler qu'il n'abandonne pas pour autant son enquête. Pendant qu'ils sont là à converser agréablement tous les deux, ses espions s'affairent en France à débusquer tous les secrets d'Esther. Si elle est capable de charmer Hocquart par l'estomac grâce à ses fantaisies culinaires, dit-il, elle ne doit surtout pas espérer faire de même avec lui. Tôt ou tard, il aura tout découvert, il ne rate jamais son coup.

— Si j'étais à votre place, mademoiselle, je ferais tout en mon possible pour impressionner un homme comme moi, quelqu'un qui saurait vous défendre auprès des autorités si vous arriviez à le convaincre de votre reconnaissance et de votre sincérité.

— Vous parlez par énigmes, monsieur Varin.

— Et vous, vous mentez. Nous sommes faits l'un pour l'autre.

— Qu'attendez-vous de moi?

— Que vous acceptiez que je vous serve de guide dans ce Nouveau Monde.

— Merci, j'apprécie votre offre.

— C'est bien ce que j'espérais.

Varin se lève, s'approche d'elle et, du bout du doigt, lui frappe la joue. Esther frémit involontairement, il le remarque.

— Une jeune fille comme vous a beaucoup à apprendre d'un homme comme moi.

Esther recule brusquement.

— Apparemment, je vous ai mal compris, monsieur Varin. J'ai cru que c'était ce si beau pays que vous vouliez me faire découvrir.

— Il n'y a pas de limites à ce que nous pouvons découvrir ensemble, ma petite Esther. Tout dépend de vos aptitudes.

— Il semble que le prix à payer soit au-dessus de mes moyens.

Varin échappe un grognement d'impatience, observe son reflet dans l'immense miroir doré suspendu au-dessus du buffet rococo. Il tire sur sa veste de velours vert et ajuste son chapeau de castor d'un geste désinvolte. Lorsqu'il reprend la parole, sa voix n'a plus rien d'agréable.

— J'en doute. Tout le monde sait bien pourquoi les jeunes filles s'enfuient de chez elles. Si vous n'étiez pas si maigre, je vous soupçonnerais d'être enceinte.

∽

Esther peut seulement espérer que Varin, avec le peu d'informations qu'il possède à son sujet, n'apprendra rien de plus. Personne en France ne sait où elle est. Tout ce qu'elle a à faire, c'est continuer de n'être « personne ». Et même si les membres de sa prétendue famille découvraient qu'elle s'est arrangée pour traverser en Nouvelle-France, elle doute qu'ils s'inquiéteraient d'elle. Au contraire, ils en seraient probablement ravis, ils pourraient cesser de faire semblant qu'elle fait partie de la famille et arrêteraient leurs démarches en vue de trouver quelqu'un d'assez pauvre, d'assez vieux ou d'assez laid pour l'épouser. Ils auraient fait leur devoir – à contrecœur, soit – et ils seraient désormais dégagés de leurs obligations envers elle, tout comme elle de l'affection qu'elle doit leur montrer.

Malgré le danger qu'il représente, Esther doit reconnaître que les visites de Varin sont loin de lui déplaire. Il sait jouer le digne représentant de la loi aussi bien que le jeune et séduisant capitaine qui tente de charmer une jeune fille timide, ou le grand frère qui veut protéger sa jeune sœur. Avec sa belle assurance, ses larges épaules, ses longues jambes et son sourire enjôleur, il offre un heureux contraste avec le corpulent Hocquart et sa Marie-Thérèse, pieuse et si soumise.

La gouvernante se plaît à dire que, de tous les jeunes officiers de Québec, Varin est de loin son préféré. Ses manières galantes la font parfois rêver d'un aussi beau parti. Ils se marieraient, et pour la remercier de tant d'années de loyaux services, monsieur Hocquart lui offrirait un lopin de terre fertile, avec un verger et une allée de chênes. Là, ils construiraient leur maison avec une élégante cheminée de pierre, il y aurait des rideaux de dentelle aux fenêtres, la porte d'entrée serait peinte de ce si beau bleu qu'on appelle « bleu roy », ils achèteraient une vache et son veau, quelques oies, une flopée de poulets bien gras. Ils auraient aussi trois garçons et trois filles.

Lorsqu'elle confie ce rêve à Esther, celle-ci secoue la tête, prend entre les siennes les mains rouges et gercées de la gouvernante et lui demande si c'est vraiment là ce qui la rendrait heureuse. Quand Marie-Thérèse lui répond que oui, Esther l'assure qu'elle priera pour que son souhait soit exaucé, bien qu'à ses yeux il n'y ait pire destin que de passer sa vie à faire le ménage, à nourrir toute une famille et à élever des enfants. Le monde est vaste, déclare Esther, et malgré cela la vie des femmes est encore bien limitée.

Tant d'audace étonne la gouvernante. Comment une jeune fille peut-elle imaginer faire le tour du monde en toute liberté comme si elle était un homme ? L'apparente conviction avec laquelle Esther affirme qu'elle a le droit de faire ce qu'elle veut et d'aller partout où elle le désire pousse Marie-Thérèse et Hocquart à croire en ses récits. S'ajoute à cela son aversion pour la viande. Comme elle prétend qu'avoir été élevée par des singes l'empêche de manger un animal qui nourrit encore ses petits, son régime se limite au poisson et au gibier. Elle aurait visité l'Afrique et l'Asie – rien de moins ! –, les Amériques, les Antilles et nombre de pays exotiques dont Marie-Thérèse n'a jamais entendu parler, des lieux aux noms païens dont elle ne saurait se souvenir. Des îles, surtout. Qui aurait cru qu'il en existait autant ?

Avant de visiter l'île d'Orléans, la seule île que Marie-Thérèse ait vue de ses propres yeux, c'est le mont Saint-Michel ; et encore, ce n'est une île qu'à marée haute. Elle en déduit que toutes ces parcelles de terre éparpillées sur l'eau doivent être typiques de pays plus jeunes que la France. Ces terres continueront sans doute à s'agrandir et, avec le temps, elles finiront par se joindre aux continents, comme des biscuits qui gonflent au four et s'agglutinent les uns aux autres si on ne leur laisse pas suffisamment d'espace. Mais Hocquart lui fait comprendre que l'île d'Orléans est aussi vieille que la France, que ce sont ses bâtiments qui sont de fraîche date. Et voilà que, par-dessus le marché, Esther déclare qu'il y a des îles partout, de toutes petites dont on fait le tour en une heure, de si grandes qu'il faut y mettre des jours, mais toujours entourées d'eau sur tous les côtés et immobiles comme des vaisseaux qui n'iront jamais nulle part.

∽

Début novembre, monsieur Hocquart avise Marie-Thérèse qu'elle devra travailler fort à parfaire l'apparence d'Esther, car bien qu'il ait plus ou moins ignoré la jeune fille depuis son arrivée, Beauharnois a tout à coup exigé qu'elle soit présente au château Saint-Louis pour la fête de saint Charles, son saint patron. La noblesse se meurt d'envie, dit-il, de rencontrer cette authentique enfant sauvage élevée par des bêtes. Quelle chance ils ont de pouvoir vivre près d'un tel phénomène, ici, dans une colonie aussi éloignée de la mère patrie! Même Sa Majesté Louis XV n'a rien d'équivalent à montrer à Versailles. Bientôt, du beau monde viendra de France pour avoir le privilège de voir Esther de près, ce que Hocquart, avec sa mentalité de gratte-papier sans envergure, tient pour peu de choses.

83

Le ton satirique de Beauharnois exaspère Hocquart, il a déjà assez à s'occuper du cas d'Esther, il ne sait pas encore ce qu'il doit faire ni ce qu'il doit penser d'elle. Elle a dû fuir quelque chose ou quelqu'un, cela saute aux yeux, et elle craint de lui en parler, ce qui en soi le porte à la prendre sous son aile malgré l'obligation qu'il a de protéger la colonie de l'éventuel danger qu'elle pourrait représenter. Il n'a cependant pas d'autre choix que de répondre à la demande de Beauharnois, mais il lui rappelle que, puisqu'Esther est sous sa garde, il devra l'accompagner aux festivités pour s'assurer qu'elle ne causera pas de désordre ou, pire, qu'elle ne tentera pas de s'échapper.

— Je me demande bien où elle pourrait aller ! rétorque Beauharnois. S'évader dans la nature ? Si on en croit ses histoires, elle serait bien plus à l'aise que vous avec les sauvages, Hocquart.

Beauharnois vient de toucher un point sensible. Le gouverneur passe quatre mois par année à Ville-Marie à négocier avec les Indiens et il a rapidement appris leur langue, alors que Hocquart n'en comprend toujours pas un mot. Bien sûr, Beauharnois est en poste ici depuis beaucoup plus longtemps que lui, qui ne s'occupe que de la population civile. Mais ce n'est ni la durée du mandat de Hocquart ni l'envergure de ses responsabilités qui est au cœur du problème. La vérité, c'est que Gilles Hocquart, loyal serviteur de Sa Majesté, a une peur bleue des Indiens. Il craint leurs déplacements rapides et silencieux, leurs visages impassibles lorsqu'ils les observent, eux, ces étrangers qui se sont installés sur leurs terres. Les Indiens minent sa confiance en toute forme de progrès, car même s'ils vivent aux côtés des Français, ils préfèrent encore coucher par terre enroulés dans des peaux de bêtes plutôt que de dormir sur un matelas de plume, mâcher leur affreux poisson fumé et leur pain frit plutôt que de déguster un tendre filet de saumon ou de délicates meringues. Il ne les comprend pas, et ce qu'il ne comprend pas, il le craint. Il laisse donc les Indiens négocier avec Beauharnois, qui adore afficher son autorité au nom du Roi et de la mère patrie.

Hocquart prétend que la moitié du budget alloué au gouverneur par le ministère de la Marine sert à couvrir les frais de son extravagante garde-robe plutôt qu'à payer ses soldats. Beauharnois déclare ouvertement qu'un vêtement écarlate et des galons dorés sont des armes efficaces pour soumettre les Indiens, qu'un homme de belle taille qui arbore un chapeau à plume et qui sait monter un vaillant destrier a toutes les chances d'impressionner ces êtres primitifs.

Lorsque Esther, en robe de soie bleue damassée, les épaules couvertes d'une cape du même tissu, un bonnet de dentelle blanche sur ses cheveux noirs, fait son entrée dans la salle de bal du château Saint-Louis, elle voit bien que Beauharnois est loin d'être le plus audacieux en matière de vêtements. Tous ceux qui l'écoutent, suspendus à ses lèvres, buvant ses paroles pendant qu'il raconte ses exploits, tous ceux-là sont du dernier chic, à la mode de Paris. Malgré les fraîcheurs d'automne que tentent de chasser les feux dans les cheminées à chaque extrémité de l'immense salle de bal, les femmes agitent leurs éventails d'ivoire sculpté, de nacre, de corne, de bois ou d'écaille de tortue. Leurs perruques poudrées sont fabuleusement hautes. Leurs poitrines, tout aussi poudrées, débordent des décolletés couverts de dentelles et de perles. Les manches sont froncées, plissées ou décorées de rubans, les jupes à cerceaux ou à volants sont taillées dans des tissus aux couleurs les plus vives. Les hommes ne leur cèdent en rien dans leurs vestes de satin et leurs gilets brodés, leurs culottes de soie, leurs bas de dentelle et leurs escarpins à boucles. Tant de couleurs dérangent Esther, tout comme les parfums et les effluves de laque à cheveux, les odeurs de transpiration, de tabac et de vin.

Elle tire sur la manche de Hocquart et demande à partir, elle a peur des foules, dit-elle, et comme elle ne connaît personne, personne ne regrettera sa présence. Ne pourraient-ils pas s'esquiver discrètement?

— Ne soyez pas stupide, grommelle Hocquart.

Les voyant hésiter à un bout de la salle, Beauharnois leur tend les bras en signe de bienvenue, geste repris par ses invités.

— Voici enfin l'enfant sauvage venue égayer notre repas par les histoires fabuleuses dont j'ai eu vent, mais sans aucun doute résumées un peu trop sommairement par notre bon Hocquart.

Le silence se fait dans la salle, les deux hommes se toisent. Leur rivalité est notoire, ils se sont opposés à maintes reprises dans le passé, vont-ils s'affronter encore ce soir à propos de cette aventurière? Curieux, les invités se pressent autour d'eux, le ton monte. Troublée par la tension de plus en plus palpable, Esther parvient à surmonter sa nervosité, s'avance vers Beauharnois et s'incline dans une révérence.

— Que souhaitez-vous que je vous dise, Monseigneur?

— Trois choses seulement. Qui êtes-vous, d'où venez-vous et qu'êtes-vous venue faire ici?

— Je m'appelle Esther, je ne sais pas d'où je viens et je suis venue explorer le Nouveau Monde.

À cette réponse, Beauharnois éclate de rire, imité aussitôt par ses admirateurs.

— Mais vous n'êtes rien qu'une fille!

— Et vous n'êtes rien qu'un homme.

— Comment osez-vous! tonne Beauharnois, la main sur la garde d'argent de son épée.

Les invités sont bouche bée.

— Faites immédiatement vos excuses! murmure Hocquart à l'oreille d'Esther, qui sait bien à quel point il déteste son rival.

— Veuillez me pardonner si je vous ai offensé, Monseigneur, dit-elle en s'inclinant profondément, les joues rouges, les larmes aux yeux. Tout ce que j'ai dit, c'est que vous êtes un homme et que je suis une fille.

— Non, vous avez dit que je n'étais *rien* qu'un homme. Je suis Charles, marquis de Beauharnois de La Boische, le très haut et très puissant seigneur. Comment osez-vous contester le pouvoir que j'ai sur vous?

Le murmure s'amplifie et tourne au chahut. Beauharnois prend tout à coup conscience de l'image insensée qu'il donne à agiter ainsi son épée au-dessus de la tête d'une jeune fille sans défense et sur le point de s'évanouir dans les bras de ce gros bâtard de Hocquart. Il veut jouer les bienfaiteurs ? Beauharnois lui fera payer cher le fait d'avoir profité de ce moment gênant. La fille paiera aussi. Il ne s'est pas laissé berner par le regard sournois qu'elle a eu, l'espace d'un instant, elle savait exactement ce qu'elle faisait. Mais pour jouer au plus fin, il n'y a pas meilleur que lui.

— J'oubliais que vous avez grandi parmi les singes, dit-il en rengainant son épée dans un geste ostentatoire. Hocquart, si votre protégée doit vivre au sein d'une société civilisée, elle a intérêt à apprendre les bonnes manières.

— Nous faisons de notre mieux, monsieur le gouverneur, je vous l'assure, réplique froidement Hocquart.

En politicien accompli, Beauharnois parvient une fois de plus à s'imposer. Comment y arrive-t-il ? Bien qu'il descende d'une famille noble, il ne possède aucun domaine à proprement parler, il a même volé l'héritage de ses beaux-fils à la mort de leur mère, qu'il avait abandonnée. La chose est connue de tous, mais personne ne semble s'en soucier ; au contraire, on admire cet escroc, ses fastueux banquets et son élégance, on regarde de haut le pauvre intendant qui, lui, a honnêtement gagné chacun de ses sous. Bien, donc ! Si ces gens sont aussi frivoles, autant les laisser le mépriser. Hocquart n'a pas l'intention de gaspiller sa fortune durement gagnée à impressionner ces oisifs qui s'obstinent à profiter des bals et des sorties, à mener une vie de salon toute faite d'amourettes, de musique et de parties d'échecs comme s'ils n'étaient pas à mille lieues de la France.

— Maintenant, passons à table! déclare Beauharnois. Les courants d'air sont aussi mauvais pour le teint de ces dames que pour la digestion de ces messieurs.

Comme s'ils en avaient reçu le signal, les invités se permettent de rire, soulagés que la crise soit passée. Les dames cherchent le bras de leur compagnon pour passer à la salle à manger sans encombre. Juchées sur leurs talons hauts, elles ont besoin d'aide pour arriver à contrôler leur traîne sans perdre l'équilibre. L'air triste, Esther les regarde vaciller en gloussant derrière leurs éventails.

— Je ne suis pas jolie, n'est-ce pas?

Hocquart émerge de ses pensées. Jamais il ne lui serait venu à l'esprit qu'elle puisse se soucier de son apparence alors qu'elle prend si peu soin d'elle.

— La beauté n'est pas tout, Esther. Ne vous comparez pas à ces prétentieux, vous êtes cent fois plus intelligente qu'eux, croyez-moi. Maintenant, allons manger.

SIX

Las manos hacen, el Dios ayuda

Quand les mains travaillent, Dieu vient en aide

Des laquais en livrée conduisent les invités à la place qui leur est assignée. Ceux-ci n'attendent que le signal de Beauharnois pour s'asseoir. Esther est à sa droite, à côté d'un Hocquart en sueur, terriblement inquiet. En face d'eux madame Lévesque, une dame pleine de vie qui, selon la présentation qu'en a fait Beauharnois, descend d'une des familles les plus anciennes de la colonie. Ses ancêtres sont arrivés en 1633 avec Champlain et la Compagnie des Cent Associés, à la tête d'une des premières seigneuries de la région. C'est une dame aisée, murmure Hocquart, elle a des relations, on a intérêt à être dans ses bonnes grâces. Il l'apprécie énormément, car malgré ses origines nobles, elle n'a rien de hautain, bien au contraire, elle est fort sympathique et confie d'emblée à Esther combien elle a hâte d'entendre un peu de ses extraordinaires aventures, car sa vie en Nouvelle-France est bien monotone.

Madame Lévesque est accompagnée de son mari, un médecin dont Beauharnois ne cesse de louer les connaissances en anatomie humaine et en physiologie. À la différence des charlatans, il traite les patients d'une manière qui va bien au-delà des purges et des saignées, et c'est à lui seul que le gouverneur fait confiance lorsqu'il est malade. L'air sombre, taciturne, le docteur Lévesque parle peu et mange encore moins, alors que la plupart des invités s'extasient chaque fois que les jolies servantes – tabliers blancs et bonnets immaculés – apportent de nouveaux plats. Au menu, un velouté de poireaux, suivi d'une truite pochée au vin, d'une salade de pissenlits et d'épinards et d'un cochon de lait en gelée. Pendant qu'Esther examine ce plat étrange – de la viande de porc hachée et de veau, mêlée de noix et de champignons, bardée de lard fumé, dont on farcit ensuite, comme l'explique madame Lévesque, la peau d'un cochon de lait et qui cuit lentement pendant douze heures – arrive un agneau entier sur sa broche, porté par deux jeunes garçons qui le font parader tout autour de la salle avant de le déposer sur la desserte où il sera découpé. La nourriture ne manque pas dans le Nouveau Monde, il est clair qu'on n'a pas lésiné pour faire de ce banquet un repas aussi somptueux que ceux des grandes tables de France.

Lorsque Beauharnois reproche à Esther l'impolitesse dont elle fait preuve en n'avalant rien d'autre que la soupe et le poisson, celle-ci répond qu'elle n'a pas l'habitude de mets aussi riches, ni aussi copieux. Elle se sent déjà mal et ne peut rien avaler de plus. Le docteur Lévesque lui avoue que, tout comme elle, il est incapable de digérer une telle nourriture, il lui suggère de prendre un morceau de pain pour se remettre et, afin d'éviter les maux de tête, de s'assurer que son vin soit coupé. Sa femme lui fait remarquer qu'Esther a sans doute mangé des choses bien plus étranges au cours de ses voyages autour du monde. Se sent-elle assez bien pour leur raconter une de ses aventures? Cela l'aidera peut-être à surmonter sa gêne?

Esther espère se montrer à la hauteur du défi, bien qu'elle soit un peu étourdie par le vin et troublée par la présence de tous ces étrangers qui observent ses moindres gestes comme si elle était une bête de foire, qui parlent d'elle comme si elle ne comprenait pas un mot de ce qu'ils disent. Au moment d'entrer dans la salle, elle a entendu une dame, serrée dans une invraisemblable toilette de satin jaune couverte de perles, crier d'une voix de poissonnière qu'Esther était affreusement quelconque. Son compagnon, le visage piqueté de mouches de velours pour camoufler les ravages de la variole, a ajouté qu'il n'y avait rien d'étonnant à ce qu'elle ait l'air d'un singe puisque, apparemment, elle a été élevée par ces animaux. Leur rire cruel résonne encore à ses oreilles.

Le regard de Hocquart va d'Esther à Beauharnois, de Beauharnois à Esther, comme pour rappeler à la jeune fille que la prolongation de son séjour en Nouvelle-France dépend aussi du gouverneur. Malgré leur méfiance mutuelle, elle est bien résolue à ne pas lui déplaire.

— Un jour, commence-t-elle avec une légère hésitation, j'ai fait une soupe aux algues et à l'eau de mer. C'était parfaitement dégoûtant.

— Où étiez-vous donc alors, mademoiselle? demande un homme au nez aquilin.

— Sur un récif, quelque part au beau milieu de l'océan Indien.

— Racontez-nous cela sans attendre, Esther, dit Beauharnois, votre auditoire est tout ouïe.

Esther dépose sa fourchette, prend une gorgée d'eau, ferme les yeux pour mieux se concentrer et raconte ce qui suit.

෴

Vous savez déjà comment j'ai été rescapée en mer par les Espagnols sur le *Santa Maria*. Il y avait déjà un an que j'étais à bord, assez longtemps pour être à l'aise avec l'idée de camoufler mon corps et de révéler mes pensées, ce qui, dans les deux cas, m'avait d'abord été assez ardu. En fait, à mesure que le temps passait, le peu de mots que je connaissais se trouvait en parfait décalage par rapport à la complexité croissante des idées qui me venaient, plus seulement dans mes accès de solitude, mais tout au long du jour, dans une sorte de monologue intérieur que, j'en étais convaincue, les autres pouvaient entendre. Mon désir de parler était si fort que mon ami Joaquin se permit de dire que c'était la preuve que je devenais enfin une vraie femme. Je ne savais pas si je devais m'en trouver flattée ou vexée, mais je gardai ces paroles en mémoire pour y réfléchir plus tard, quand j'aurais acquis une meilleure expérience du monde. Sur le *Santa Maria*, j'aidais Joaquin et, avec lui, j'apprenais. La vie à bord était plutôt agréable. Les membres de l'équipage travaillaient ensemble depuis longtemps et, grâce à la bonne gestion du capitaine, ils étaient mieux nourris et mieux payés que la plupart des matelots des navires marchands. Le capitaine Jago – dont le teint cuivré et la haute taille trahissaient des origines mauresques – naviguait sur toutes les mers, avec quelque cargaison que ce soit. Il avait toutefois renoncé au trafic des esclaves. C'était d'ailleurs la raison pour laquelle Joaquin était heureux d'être sous ses ordres.

Un jour que nous faisions voile vers Madagascar pour calfater le navire et nous réapprovisionner en vivres et en eau avant de filer vers l'Orient prendre cargaison d'ivoire, de soie et d'épices, surgit de nulle part une goélette dont la voile carrée arborait un drapeau noir et blanc à tête de mort. Le navire nous rattrapa rapidement, on pouvait voir ses canons sur le pont et tout le long du bastingage, et compter au moins cinquante pirates à bord. Le capitaine Jago tenta de leur échapper, hissa plus haut la voilure et jeta une partie de la cargaison par-dessus bord pour alléger le navire, mais nous ne fûmes pas de taille à lutter contre le leur, surtout lorsque les pirates firent feu. Armé seulement de trois canons, dont un petit canon pivotant, le *Santa*

Maria n'était pas équipé pour assurer sérieusement sa défense. Les pirates nous rejoignirent et demandèrent au capitaine de faire descendre la chaloupe pour venir les chercher, ce qu'il fit promptement. Jago n'avait pas l'intention de faire de ses matelots des martyrs, pas plus qu'il n'avait envie de réduire d'innocents Africains à l'esclavage. Il céda donc aux pirates tout l'or que nous avions à bord en échange de la promesse solennelle qu'il ne nous serait fait aucun mal.

Les pirates dépouillèrent le *Santa Maria* de tout ce qui avait une certaine valeur, incluant les pistolets et la poudre à fusil, le vin et le brandy, une quantité considérable de magnifiques tissus colorés ainsi que de l'acajou acheté en Afrique. Comme promis, ils ne nous firent pas de mal, mais obligèrent plusieurs d'entre nous – dont moi-même – à nous constituer prisonniers. Joaquin leur expliqua qu'il était mon père et demanda à me suivre ; les pirates acceptèrent, trop contents d'avoir réussi à capturer aussi aisément le bateau et sa cargaison. Ils réquisitionnèrent aussi le cuisinier – car le leur était incompétent –, puis notre médecin, car le savoir-faire d'un médecin avait son importance même pour de telles brutes. Après avoir fait leurs adieux au capitaine Jago, les pirates lui souhaitèrent bon voyage et prirent la mer, non sans avoir tiré une salve dans la proue du *Santa Maria* pour éviter toute poursuite.

Notre cuisinier était un gros homme vulgaire qui se sentit immédiatement chez lui. Il buvait autant de vin qu'il en mettait dans ses sauces, mais personne n'osait le lui reprocher, car plus il buvait, meilleure était sa cuisine. Notre médecin passait son temps à lire et à tenir son journal quand il n'était pas occupé à soigner les affections courantes à bord, maladies vénériennes, parasites, maux de dents ou blessures infectées. Pensant qu'il s'ennuyait peut-être, les pirates lui promirent plus de sang et des cas encore plus palpitants lorsqu'ils livreraient bataille, et ils s'étonnèrent de voir que l'idée ne l'excitait pas.

Il y avait un fond d'altruisme chez le médecin, qui s'appelait Esteban. Il savait que, si les pirates découvraient mon identité, ils abuseraient de moi. Il exigea donc que le « mousse » soit son assistant, de manière à me protéger. Les pirates taquinaient Joaquin, disant qu'il faisait de son « fils » une fillette en le laissant passer tout ce temps avec le docteur, mais aucun d'eux ne soupçonna la justesse de leurs dires jusqu'au jour où la vérité éclata. Voici comment les choses se passèrent. Vous avez sans doute entendu parler d'un code d'honneur chez les hors-la-loi, un ensemble de règles auxquelles les équipages de vaisseaux pirates se soumettent généralement. Sur notre nouveau bateau, ces règles stipulaient que chaque homme d'équipage avait droit à sa juste part des biens saisis au cours de leurs activités criminelles, un matelot recevant une part du butin et un haut gradé une part et demie. Ces règles comprenaient aussi une liste des « obligations du pirate », comme l'entretien des armes, qui devaient être prêtes à servir en tout temps, l'extinction des feux dès huit heures du soir, l'interdiction de se battre avec ses compagnons, ainsi qu'une série de crimes qui étaient proscrits comme la tricherie, la désertion ou le fait d'amener une femme à bord, crimes pour lesquels on abandonnait les coupables sur une île déserte, quand on ne les exécutait pas carrément.

Un mois après notre capture, nous dûmes accepter de nous soumettre à ces règles, ce qui faisait de nous des pirates en bonne et due forme. Pour le cuistot, cela dépassait tout ce qu'on lui avait jamais offert, et il signa sur-le-champ. Le docteur Esteban refusa, disant qu'il espérait que ses services seraient estimés à leur juste valeur, mais qu'il ne ferait jamais semblant d'avoir accepté de son plein gré de faire partie d'une telle bande de brigands. Joaquin se contenta de demander pourquoi le capitaine Fergus s'opposait aussi farouchement à la présence de femmes sur le navire, commentaire qui souleva l'hilarité, surtout venant d'un homme au physique aussi ingrat, et qui provoqua une série d'obscénités et de remarques offensantes. À mon tour, je demandai au capitaine si tout homme ayant fait monter une femme à bord devait vraiment être condamné à mort. Le capitaine Fergus me regarda froidement, comme si je m'amusais à faire le perroquet, et répondit simplement « oui ». Je déclarai alors qu'il méritait donc la peine de mort puisque j'étais une femme.

Blanc de colère, il brandit son épée. Autour de nous, l'équipage tentait de comprendre ce qui se passait. J'entendis Joaquin murmurer dans mon dos : demande pardon tout de suite, tu dois demander pardon. Mais il était trop tard. J'aurais dû me taire, mais je n'avais pu m'empêcher de parler selon mon cœur. J'allais en subir les conséquences.

Le docteur Esteban fit un pas en avant et tenta de calmer le capitaine en expliquant que, d'un point de vue physiologique, je n'étais pas tout à fait une femme puisque je n'étais pas encore en âge de porter un enfant. Le capitaine rengaina son épée, grondant qu'on ne le ridiculiserait pas de la sorte et que, puisqu'il était complice de toute cette mascarade, Esteban subirait le châtiment approprié : tout comme mon père et moi, il serait lui aussi abandonné sur une île déserte. Il ordonna qu'on dépose dans une chaloupe des couvertures et une boîte d'amadou, une cruche d'eau et une autre de vin, des biscuits de mer et des pois secs. Le docteur eut le droit de prendre sa bible et son journal, mais pas ses instruments chirurgicaux. Joaquin eut la bonne idée de demander des hameçons et une ligne à pêche et, après consultation, on lui remit une pelote de mauvaise ficelle et quelques hameçons rouillés. Deux hommes costauds et armés nous forcèrent à descendre dans la chaloupe et nous menèrent sur une île – un récif de corail auquel s'accrochaient quelques palétuviers – où ils nous abandonnèrent.

Contre toute attente, notre île se révéla clémente. Malgré les requins qui rôdaient assez près des rives pour nous faire passer l'envie de nous baigner, il n'y avait ni serpents venimeux ni grands prédateurs. Nous trouvâmes assez de bois pour bâtir un abri et nous protéger du soleil des tropiques qui tapait chaque jour avec la même intensité. Notre seul vrai défi : construire un système pour conserver l'eau de pluie. Comme les animaux de l'île n'avaient pas peur de nous, il nous semblait injuste de les manger. Les tortues et les lézards paressaient au soleil et nous regardaient en clignant des yeux sans la moindre curiosité. Il y avait tant de poissons dans les hauts-fonds qu'on pouvait les attraper à main nue. Certains oiseaux étaient incapables de voler, d'autres étaient si peu troublés par notre présence que nous pouvions les saisir dans leurs nids. Un jour, après avoir mangé non seulement une mère frégate, mais tous les œufs qu'elle couvait, je décidai que je ne pouvais plus manger ces innocentes créatures. Ce fut le jour de la soupe aux algues et à l'eau de mer.

ༀ

Esther s'arrête ici, prend une gorgée d'eau, tient son verre de cristal devant ses yeux et, émerveillée par les couleurs du prisme qui dansent sur ses arêtes, en oublie son auditoire.

— Esther, vous ne pouvez pas en rester là, continuez, je vous en prie, s'écrie madame Lévesque, comme une enfant qui réclame une nouvelle histoire avant d'aller au lit.

— Mais, madame Lévesque, je vous ai tout dit à propos de la soupe, rétorque Esther.

— Néanmoins, dit Beauharnois en riant, vous avez abandonné vos auditeurs sur une île déserte.

Comme d'habitude, la gaieté de sa voix contredit la froideur de son regard.

— Je vous ordonne de les secourir immédiatement, ajoute-t-il.

Esther inspire profondément, referme les yeux et reprend l'écheveau de son histoire.

⌘

Pendant quatre mois – Esteban gravait chaque jour au coucher du soleil une marque dans l'écorce d'un palmier –, nous vécûmes en sécurité malgré le manque de confort. Nous avions baptisé notre refuge *Isla de las Tortugas*, et à mesure que les jours se transformaient en semaines, la vie nous sembla moins périlleuse et nous commençâmes à comprendre pourquoi les tortues se dépensaient aussi peu. Il n'y avait vraiment rien d'autre à faire que manger, dormir, chercher de la nourriture et dormir encore. Le soleil se levait, la lune se levait, le soleil se couchait. Un jour, une famille de dauphins vint s'amuser tout près, et je ne pus m'empêcher de jouer avec eux, surmontant du coup ma peur des requins. Plus tard, nous vîmes briller à l'horizon ce que nous crûmes être un navire, malheureusement trop loin pour qu'il entende nos cris de détresse. Notre activité se résuma à recueillir l'eau douce et à solidifier notre abri en vue des tempêtes.

La vie sur Tortugas me convenait tout à fait, et j'appris à suivre son rythme indolent. Impatients, les hommes entreprirent la construction d'un grand radeau qui nous mènerait vers la liberté. Le premier, fait de branches et de roseaux, était beaucoup trop léger, mais ils s'acharnèrent. Lorsque le radeau s'écrasa sur les coraux, ils n'abandonnèrent pas et écumèrent l'île à la recherche de matériaux plus solides.

Je tiens cette manie de se maintenir occupé pour l'une des caractéristiques de la race humaine. Les singes sont des êtres intelligents, mais ils refusent de travailler plus que ce qui est nécessaire à leur survie. Ils préfèrent observer les nuages s'amonceler dans le ciel et écouter les murmures du vent. Je n'ai jamais compris pourquoi les hommes sont si troublés par le silence. Peut-être que, pour eux, une vie oisive est une vie sans but. Le repos leur serait-il trop semblable à la mort ?

Je demandai à Joaquin pourquoi il s'obstinait à construire une embarcation qui ne pourrait jamais résister aux terribles vagues de l'océan, pour peu qu'il réussît même à naviguer à l'intérieur de l'atoll. Il rétorqua qu'un marin comme lui avait besoin de prendre le large et qu'un homme digne de ce nom ne pouvait pas rester à ne rien faire en attendant d'être secouru. La construction du radeau faisait passer le temps, ses mains et son esprit s'y occupaient, ce qui l'empêchait de sombrer dans le désespoir. Il tint à ce que je l'aide malgré mes craintes, me dit que le travail m'éviterait des ennuis, même si je ne comprenais pas de quels ennuis il pouvait s'agir dans un lieu aussi désolé.

Le deuxième radeau n'était pas encore terminé qu'un vrai navire, un trois-mâts magnifiquement gréé de huit voiles, passa assez près de l'atoll pour apercevoir nos signaux de détresse. C'était une frégate lourdement armée et, lorsqu'elle s'approcha, nous distinguâmes nettement le drapeau français. Joaquin s'inquiéta, il m'avait déjà expliqué que la France et l'Espagne étaient ennemies depuis toujours, surtout en mer. Heureusement, Esteban possédait une bonne connaissance du français et put résumer aux gens du bord notre triste situation. Dès que le capitaine comprit que nous avions été abandonnés par des pirates, il ordonna qu'on nous envoie une chaloupe, et c'est ainsi que nous quittâmes Tortugas.

Le *Lys* était bien équipé, mieux que le *Santa Maria* puisque c'était un bateau de la Marine, et plus confortable que le navire des pirates. On nous offrit un repas chaud et des vêtements propres. Les miens, beaucoup trop grands, aidaient à faire croire – encore ! – que j'étais un garçon. Personne ne me vit autrement, mais cela ne m'étonnait plus, car mon séjour chez les pirates m'avait appris que les gens ne voient bien que ce qu'ils veulent voir, ni plus, ni moins.

Esteban fut ravi de servir d'interprète, il répondit aux questions et en posa tout autant, curieux de ce qui se passait dans cette région isolée du globe. C'est ainsi que nous apprîmes que le capitaine, le chevalier Alphonse de Pontevez, avait été chargé par le roi de prendre possession de nouvelles terres au nom de la France et qu'il avait donné son nom à une île fertile située au nord-est de Tortugas. Pontevez était convaincu d'avoir découvert le vrai paradis terrestre et envisageait déjà d'y installer une nouvelle colonie, du moins jusqu'à ce que le *Lys* fît escale sur une île moins hospitalière où ils découvrirent des chaînes, des ancres et l'épave d'un vieux navire français dont, pendant des années, le sort était resté mystérieux. Sur la plage gisait le squelette d'un homme, ses os blanchis brillaient sous le soleil, des fers rouillés enserraient ses chevilles. Le sabre au clair comme les archanges défendant l'entrée du paradis, les hommes de Pontevez avaient passé deux jours à explorer l'île en quête de signes de civilisation. Ils avaient découvert plusieurs autres squelettes et les ruines d'une hutte rudimentaire. Dans ce lieu verdoyant où volaient des oiseaux magnifiques et où poussaient des fleurs de toutes les couleurs, une telle désolation était encore plus inquiétante. La seule trace laissée par l'homme était celle de sa défaite.

Le capitaine s'interrogea donc sur la vraie nature de ces îles. Étaient-elles paisibles, funestes, ou les deux à la fois? Après tout, le paradis terrestre abritait bien le serpent, et Dieu lui-même avait interdit à Adam et Ève d'y revenir. Devant ce dilemme, le capitaine fut ravi de découvrir trois hommes – dont un vieux et un tout jeune – qui étaient parvenus à survivre près d'une centaine de jours dans un lieu aussi perdu et dans des conditions aussi difficiles. Il conclut que notre survie était de bon augure pour l'avenir de la colonie qu'il rêvait de fonder et qui rendrait son nom célèbre parmi les générations à venir. Il déclara son expédition réussie et décida de rentrer en France.

Après nous avoir interrogés et avoir exigé que nous tracions un plan de notre île aussi précis que possible, Pontevez nous ignora pendant tout le reste du voyage. Il nous confia à son second, un homme plutôt cynique du nom de Fourget, qui passait le plus clair de son temps à goûter les vins du capitaine et à jouer aux échecs dans sa cabine avec Esteban. Assise auprès d'eux jour après jour, j'appris le français aussi bien que les échecs. Bientôt, Joaquin et moi installâmes un nouvel échiquier et nous jouâmes aux côtés de notre ami médecin.

◌◡◌

— Il faudrait que nous jouions aux échecs, vous et moi, Esther, l'interrompt Beauharnois. Quoique je sente, d'une certaine manière, que la partie est commencée depuis déjà un bon moment.

— Monsieur le gouverneur, bredouille Hocquart, vous avez demandé à Esther de terminer son histoire. Laissez-la continuer sans l'interrompre, je vous prie, sans quoi nous passerons la nuit ici.

— Qu'y a-t-il de si pressant qui vous oblige à nous quitter déjà? répond son rival. Des taxes à percevoir? Des vaisseaux à construire? Étant donné que Sa Majesté en a assez d'encourager vos plans stériles, cher intendant, vous pouvez bien rester parmi nous et profiter un peu de la fête.

Dans le silence qui suit la pique de Beauharnois, tous les yeux se tournent vers Esther dans l'espoir qu'elle mettra fin à ce moment pénible. Elle regarde à son tour Hocquart, qui acquiesce d'un signe de tête, l'air sévère, résolu à ignorer les sarcasmes de Beauharnois. Il n'a pas avantage à se quereller avec cet homme devant ses courtisans. Esther soupire et reprend son récit, un œil sur sa part de frangipane à peine entamée.

ᐷ

Une fois à bord du *Lys,* nous quittâmes enfin notre exil. Nous fîmes d'abord escale à Madagascar pour embarquer des provisions et permettre à l'équipage de se reposer. Les hommes en parlaient comme d'un site enchanteur et attendaient avec impatience le moment de débarquer. Imaginez l'horreur quand, en entrant dans le port, nous aperçûmes les corps en décomposition du capitaine Fergus et de son commandant pendus à une potence, un sérieux avertissement pour les pirates aux alentours.

Il s'avéra que peu après nous avoir abandonnés, Fergus croisa un convoi de la marine marchande qui rentrait des Indes. Ses hommes tentèrent de le convaincre de fuir devant une flotte aussi bien armée, mais puisqu'il était considéré comme déserteur par la marine britannique, il avait un compte à régler avec son ancien employeur. Le destin l'avait poursuivi sur deux océans, disait-il, il serait lâche de ne pas y faire face. Il y fit face, justement, et le temps de le dire, la corde du bourreau mit un terme à sa vie d'aventures. Nous apprîmes toute l'affaire de la bouche de notre cuistot, qui s'était trouvé du travail dans une taverne que les membres de l'équipage du *Lys* fréquentaient pendant leur permission. Dès qu'il aperçut Esteban, le cuistot lui sauta au cou et lui dit la chance qu'il avait eue d'être abandonné sur l'île, car un grand nombre de pirates avaient trouvé la mort au combat. Quand Esteban fit remarquer que sa propre survie à Tortugas était loin d'être assurée, le cuistot précisa qu'il avait toujours été convaincu que les secours arriveraient tôt ou tard puisque le docteur avait avec lui la fille de la mer, son porte-bonheur.

Fourget avait bu toute une bouteille de vin et, heureusement pour moi, il ne saisit pas vraiment le sens de ce qu'il venait d'entendre. Esteban décida de quitter l'établissement en vitesse. Tout en marchant, il raconta au second, qui avait les idées passablement brouillées, un incroyable souvenir de jeunesse, espérant le distraire avant qu'il comprenne qui était véritablement la fille de la mer.

C'est l'histoire d'Esteban que je vais vous raconter maintenant.

Son père était officier de l'armée, en poste dans le port de Ceuta, sur la côte du Maroc. Ceuta était l'un des derniers bastions espagnols dans ce pays et par conséquent il était sous le siège constant de l'armée du sultan Moulay Ismaïl, un fameux tyran. Puisque cette affectation était à haut risque, les parents d'Esteban disposaient en compensation d'une magnifique demeure et de plusieurs serviteurs. Malgré ce luxe, la mère d'Esteban avait le mal du pays. Sa mère et ses sœurs lui manquaient terriblement et elle détestait être confinée dans ce misérable avant-poste au milieu d'infidèles, toute seule avec son jeune époux et son petit garçon. En quête de consolation, elle laissait souvent Esteban à la maison avec sa bonne, Edza, tandis qu'elle allait au marché ou prenait le thé avec les femmes des autres officiers. Voilà pourquoi Esteban s'attacha beaucoup plus à Edza qu'à sa mère.

Un jour qu'Esteban jouait aux billes dans la cour avec Edza, un Berbère se présenta à l'entrée, se prétendant marchand de tapis. Edza eut beau tenter de le renvoyer, le Berbère poussa le portail et déroula en vitesse un magnifique tapis dont il vanta les qualités haut et fort. Suivant la tradition mauresque, la cour était couverte de tuiles blanches et bleues sur lesquelles le tapis semblait flotter comme une île au trésor, tout de rouge et d'or. L'enfant dansait autour du tapis, joyeux, au son de la fontaine, pendant qu'Edza le suppliait d'arrêter, car, s'il abîmait le tapis du Berbère, elle serait forcée de l'acheter.

Finalement, elle parvint à attraper Esteban et appela à l'aide pour qu'on vînt chasser l'intrus, mais ce furent plutôt trois hommes armés de cimeterres qui forcèrent la porte, prirent l'enfant et sa bonne, les roulèrent dans le tapis qu'ils portèrent sur leurs larges épaules jusqu'à une charrette attelée à un âne. Enroulés l'un contre l'autre dans le tapis, Esteban et Edza furent carrément jetés à l'arrière de la charrette. Ils suffoquaient, les joues griffées par le sable, mais le tapis les protégeait des cahots de la route qui menait vers le sud à travers le Rif.

Ils s'arrêtèrent pour la nuit chez le Berbère, dans une misérable hutte de terre perdue au milieu de nulle part. Sa femme et ses trois filles les traitèrent aux petits soins, comme des invités d'honneur plutôt que des otages, leur lavèrent les pieds et s'excusèrent de l'inconfort du voyage, leur donnèrent à manger jusqu'à ce qu'ils ne puissent plus rien avaler. À la fin du repas, les femmes furent renvoyées et les hommes commencèrent leur interrogatoire. Ils étaient impatients de savoir si les Européens redoutaient les armées du grand sultan Moulay Ismaïl, dont le seul nom les emplissait d'une telle épouvante qu'ils regardaient constamment par-dessus leur épaule pour voir si des espions n'étaient pas cachés dans les coins sombres de la masure ou derrière les maigres oliviers de la cour. Ils n'arrivaient pas à croire que leurs otages pussent ignorer l'existence d'un si grand souverain. À force de questions – et à leur grande déception –, ils découvrirent qu'Edza n'était pas l'épouse d'un important dignitaire espagnol, mais une simple servante arabe. Ils crurent tout naturellement qu'Esteban était son fils, erreur bien compréhensible, car l'enfant s'accrochait à elle comme à sa vraie mère, la tête enfouie dans son châle, refusant de lever les yeux sur ses ravisseurs.

Tout ému, le Berbère se mit à pleurer et leur expliqua la situation. Son fils unique – la lumière de sa vie, l'espoir de ses vieux jours – avait été torturé dans la fameuse prison souterraine du sultan à Meknès. En échange de sa libération, il avait reçu l'ordre d'enlever un Espagnol de haut rang. Il y était parvenu en soudoyant les servantes pour qu'elles quittent la maison cet après-midi-là, mais il n'avait pas prévu que leur maîtresse serait absente. C'était une terrible méprise, mais il n'avait d'autre choix que de remettre Edza et Esteban au sultan. Ce n'étaient pas des infidèles, mais ils appartenaient tout de même à une famille espagnole. Cet enlèvement sèmerait sûrement la terreur chez les envahisseurs européens, peut-être lui offrirait-on une rançon, rien d'aussi généreux cependant que pour des otages de plus grande valeur.

Quand il eut terminé son histoire, Edza se jeta à ses pieds et implora la clémence d'Allah. Elle ne craignait pas pour elle, dit-elle – et le Berbère l'aurait sûrement compris –, mais pour son fils unique, la lumière de sa vie, l'espoir de ses vieux jours. Comment pouvait-il condamner un innocent à l'esclavage et l'arracher aux bras de sa mère ? Les ravisseurs se laissèrent finalement toucher par la ferveur d'Edza et lui proposèrent un compromis : elle déguiserait Esteban en petite fille pour qu'elle pût le garder près d'elle au harem où, cela ne faisait aucun doute, elle serait enfermée. Moulay Ismaïl, homme à l'appétit prodigieux sous toutes ses formes, possédait un harem de plus de cinq cents concubines. Au milieu de tant de femmes, Edza et sa « fille » passeraient peut-être inaperçues. Et puis, tout le monde savait que le sultan préférait les Européennes aux Marocaines, il avait même un jour demandé à Louis XIV la main de sa fille et, malgré le refus du monarque, il continuait à imiter le Roi-Soleil et s'obstinait à faire de son palais un véritable Versailles.

C'est là que l'on mena les prisonniers : une immense cité entourée de murailles construites par des esclaves. Selon le Berbère, le sultan les épuisait à travailler à

construire ses palais, ses prisons, ses casernes, ses entrepôts, ses étables et ses aqueducs jusqu'à ce qu'ils en crè-
vent. La rumeur voulait que, lorsqu'ils étaient trop
faibles, le sultan les décapitait lui-même et faisait amal-
gamer sur-le-champ leur dépouille aux matériaux de
construction, leurs os et leur sang venant renforcer le
mortier. Plus le Berbère décrivait la cruauté du sultan,
plus Edza était convaincue qu'il fallait à tout prix faire
croire qu'Esteban était une fille et le cacher dans le
harem. Pendant les cinq jours qu'il fallut pour parvenir
à Meknès dans la charrette tirée par un âne, elle eut tout
le temps de déguiser Esteban. Le garçon portait une
simple robe paysanne, un châle sur ses cheveux courts
et des sandales finement brodées qu'il trouvait magnifiques. Edza souligna ses yeux de khôl et, malgré ses
protestations, lui perça les oreilles d'un coup d'aiguille et lui mit ses propres anneaux d'or. Les boucles
d'oreilles changèrent tout. La métamorphose d'Esteban
était réussie.

Les voyageurs devinèrent Meknès à l'odeur bien
avant d'y arriver, car le sultan empalait la tête de ses
ennemis sur des piques au haut des murs de la cité. Il est
étrange que cet homme qu'on disait si sensible à la
beauté pût rester indifférent à la puanteur de la chair
putréfiée. Accoutumé à l'air pur des montagnes, le tisserand, dégoûté, fit arrêter l'âne près d'un ruisseau pour
cueillir des poignées de menthe. Esteban en froissa
quelques feuilles sous son nez et serra très fort les paupières au moment où ils franchirent les portes de la
ville, de peur de voir partout des signes de barbarie.

Mais il ne remarqua que le train-train quotidien : des barbiers, des cordonniers, des vendeurs de fruits, des poissonniers, des scribes itinérants, des musiciens et encore des ânes, des charrettes, des chameaux, et des édifices, plus qu'il n'en avait jamais vu. Excité par le spectacle, Esteban oublia un instant qu'il avait été enlevé et qu'il allait être vendu comme esclave.

Après avoir demandé son chemin aux soldats qui patrouillaient parmi la foule, le Berbère conduisit ses prisonniers le long de rues sinueuses jusqu'à un édifice gardé par de nombreux soldats, avec qui il discuta un long moment. Ils attachèrent la charrette à une clôture ; l'âne, épuisé, sembla aussitôt tomber dans une profonde méditation. Ils traversèrent un labyrinthe de courettes, de tunnels et d'escaliers, arrivèrent enfin à une grande salle où se tenaient d'imposants Africains magnifiquement vêtus. C'étaient eux qui formaient la célèbre Garde noire, qu'on appelait aussi l'Abid-al-Bukhari, la plus grande force de frappe d'Afrique du Nord. Esclaves à l'origine, ils étaient devenus les plus hauts dignitaires de l'empire, et c'est à eux que le sultan accordait toute sa confiance. Le chef de la garde jeta un œil sur les trois voyageurs, éclata d'un mauvais rire et frappa le tisserand en plein visage. Celui-ci s'écroula de tout son long, les mains jointes au-dessus de son turban en signe de supplication. D'une voix à peine plus forte qu'un murmure, il demanda pardon pour son erreur et implora qu'on épargnât son fils bien-aimé. Sans cesser de rire, l'Abid lui donna un coup de pied dans les côtes et le renvoya comme un chien.

Edza supplia l'Abid de les laisser aller, elle et sa fille innocente, puisqu'il avait bien compris qu'il y avait eu erreur et qu'elles n'étaient pas les otages qu'il espérait. À Meknès, répliqua-t-il, on ne relâchait pas les prisonniers, sauf pour les exécuter. Il accepta cependant de ne pas la séparer de sa fille et les envoya toutes deux au harem pour le bon plaisir du sultan. Et c'est là qu'Edza et Esteban passèrent une année entière, complètement coupés du reste du monde.

Pendant ce temps, les parents d'Esteban faisaient tout en leur pouvoir pour retrouver leur fils. Mais même s'ils étaient arrivés à retrouver sa trace, la forteresse était trop bien gardée pour qu'il fût possible de le faire sortir sans risque. Pour sa part, Esteban n'était point trop malheureux. Ses parents lui manquaient parfois, mais la vie au milieu de ces femmes si belles était loin de lui déplaire. La vie au harem n'était pas si différente de celle à Ceuta, il passait ses journées en compagnie d'Edza sauf que, maintenant, il était obligé de vivre comme une fille. Ses robes l'empêchaient de jouer comme il l'aurait voulu, il ne pouvait pas courir avec les jolies sandales dont il était si fier. Ces sandales lui apprirent tout de même quelque chose. Comme bien des garçons gâtés, il avait toujours considéré les filles comme des êtres inférieurs, car elles n'avaient ni la force ni le courage des hommes. Il se rendait compte aujourd'hui que cela n'était pas dû à leur nature, mais bien aux mœurs. Comment une fille pouvait-elle se faire des forces si elle ne pouvait pas bouger en toute liberté ? Lorsqu'il suppliait Edza de le laisser vivre comme un garçon, elle lui rappelait à quel point cela serait risqué, mais elle était forcée d'admettre qu'il ne pouvait passer le reste de ses jours dans le quartier des femmes, il grandissait à vue d'œil. Bientôt il gagnerait en carrure, un duvet pousserait sur sa lèvre supérieure et tout le monde s'apercevrait qu'il n'était pas la petite qu'ils appelaient Aziza. Inévitablement, ils seraient punis tous les deux et sans doute exécutés.

Grâce à son unique trésor, les boucles d'oreilles en or que portait Esteban, Edza réussit à soudoyer un marchand ambulant qui venait vendre ses pastèques chaque semaine au harem. Il accepta de faire passer le garçon hors des murs de la ville et de le ramener à Ceuta. Edza coupa les cheveux d'Esteban – qui lui arrivaient maintenant aux épaules – et l'habilla avec des habits de garçon qu'elle avait pu se procurer. L'homme le fit sortir du harem, caché dans la hotte qu'il portait sur son dos. Puis, assis dans la charrette du marchand avec l'aplomb d'un innocent garçon de la campagne, Esteban traversa la ville, en route vers la liberté.

Dans l'espoir que leur fils retrouverait le chemin du foyer, ses parents n'avaient jamais quitté la maison de Ceuta. Lorsqu'il revint, indemne, ils restèrent sans voix, mais si heureux qu'Esteban eut honte de constater combien peu ils lui avaient manqué. Sa mère tenait à ce qu'ils retournent en Espagne immédiatement, là où il pourrait recevoir une bonne éducation et s'adonner à des activités masculines – apprendre l'escrime, boire et pratiquer la médecine.

Dans la salle, les invités se taisent, perdus dans une sorte de rêverie collective où les filles déguisées en garçons se mêlent aux garçons costumés en filles, ils rêvent de pirates et d'îles désertes sous les tropiques, d'un tapis d'or flottant sur des tuiles bleu azur, d'un sultan cruel faisant construire une ville toute faite d'ossements et retenant en captivité des centaines de femmes dans son harem. Tout à coup, Beauharnois rompt le silence et déclare qu'Esther est non seulement une fieffée menteuse, mais une fabulatrice sans aucune imagination.

— L'enlèvement au sérail, quelle absurdité ! raille-t-il. Nous l'avons entendue cent fois, cette histoire, ou d'autres du même genre, et de plus, ce n'est pas à vous que c'est arrivé.

— Monsieur le gouverneur, proteste madame Lévesque, j'ai beaucoup aimé ce qu'elle vient de raconter.

— Esther a fait exactement ce que vous lui avez demandé, et ce, malgré son malaise, ajoute Hocquart. Je pense qu'il est temps pour nous de nous retirer.

— Mon Dieu, mon Dieu, Hocquart ! Apparemment, votre incapacité à vous trouver une épouse ne vous a pas empêché de vous métamorphoser en père attentionné.

Les deux hommes échangent un regard où se lit une franche hostilité. Hocquart fait signe à Esther, qui se lève, salue l'assemblée et dit à Beauharnois :

— Merci, Monseigneur, pour ce délicieux repas.

Hocquart la prend par le bras et la pousse à travers la grande salle. Ils passent devant deux laquais et sortent dans la nuit froide sous un ciel piqué de mille étoiles. Les fraîches odeurs de pin dans l'air vif du soir chassent les odeurs de cuisine trop grasse et les parfums des invités trop poudrés. Ils restent là, côte à côte sur la terrasse, à admirer tout en bas les mouvements du fleuve. Esther n'est jamais montée sur le cap Diamant auparavant, et la vue qu'elle a à partir de là, elle ne l'a imaginée que sous le soleil. Si seulement cet instant pouvait durer toujours! Sous la lune, les gréements des vaisseaux amarrés dans le port frémissent comme des toiles d'araignées. Difficile à croire que des structures aussi fragiles traversent les océans chargées de passagers et de marchandises, et voyagent aux quatre coins du monde. Ce monde rendu encore plus vaste et plus mystérieux par les histoires qu'elle a pris l'habitude de raconter.

Les violons d'une fête leur parviennent, des aboiements, des voix irritées qui s'enflent, des rires, les pleurs d'un bébé. La vie continue, une vie de tous les jours dont, dans leur solitude, ils se sentent ce soir si éloignés. L'intendant soupire, observe de l'autre côté du fleuve la pointe de Lévy où brillent les feux des maisons, une image de bien-être, de bonheur aussi. Au nord, les lumières du village de Lorette brûlent encore. Hocquart se retourne et laisse son regard errer en amont vers Trois-Rivières et Ville-Marie, villes qu'il n'a pas souvent l'occasion de visiter, mais où Beauharnois se rend fréquemment autant pour le travail que pour le plaisir.

— Pourquoi faut-il toujours qu'il m'insulte ? murmure Hocquart, plus pour lui-même que pour Esther.

— Il est jaloux, monsieur, répond Esther, frissonnant légèrement, mais non sans un certain plaisir, dans la nuit froide.

— Pourquoi ? Il a un poste important et des foules d'admirateurs, le roi l'écoute et la reine Marie le reçoit en privé.

— En revanche, vous êtes heureux, et lui pas.

— Qu'est-ce qui vous fait croire que je suis heureux ?

— Vous aimez votre charge et vous vivez comme vous l'entendez. Le gouverneur, lui, se préoccupe trop de ce que les autres pensent de lui. Les gens comme lui ne sont jamais satisfaits.

— Tout comme dans vos histoires, Esther, votre manière d'interpréter ce qui vous entoure n'est pas forcément juste. Mais je la trouve fort intéressante.

Une météorite traverse le ciel, venue d'on ne sait où, filant vers l'inconnu.

SEPT

El Dios es tadrozo
mas no es olvidadozo

Même s'Il tarde,
Dieu n'oublie jamais

Les couleurs de l'automne ont vite disparu. Les jours raccourcissent, le temps se fait plus froid et les gens sont plus moroses. À la grande surprise de Marie-Thérèse, Esther se réjouit à l'idée de passer un dur hiver. Elle a grandement souffert de la chaleur en Afrique, dit-elle, tellement brûlée par le soleil que sa peau se détachait comme celle d'un serpent en mue. Elle a besoin de l'expérience contraire pour rééquilibrer la température de son corps, c'est un fait reconnu par la science. Marie-Thérèse sait bien que les médecins plongent les patients fiévreux dans des bains de glace, non? C'est pour cette raison qu'elle a besoin de vivre les terribles froids de la Nouvelle-France. Dans ces moments-là, la gouvernante ne sait trop que faire de l'enfant capricieuse qu'on lui a confiée. Ses idées étranges et son incroyable sagesse la font parfois sembler bien plus vieille que son âge.

Mais parfois, au beau milieu d'une analyse des événements pleine de bon sens et de finesse, elle lance une remarque tellement caustique, avec une telle désinvolture, que Marie-Thérèse a envie de la gifler ; ou bien elle fait un commentaire tellement drôle que la gouvernante ne peut s'empêcher d'éclater de rire. Esther peut aussi bien la supplier d'aller acheter quelque bagatelle au marché comme le ferait une jeune enfant gâtée de la haute société qui n'a d'autre but dans la vie que le plaisir, que tomber dans une profonde tristesse qui laisse deviner une âme d'enfant perdue. Une seule fois, Marie-Thérèse l'a vue pleurer en silence. Lorsqu'elle avait voulu savoir ce qui n'allait pas, Esther s'était contentée de secouer la tête, et la gouvernante avait tenté de la consoler, ouvrant une brèche dans la forteresse invisible qu'Esther élevait autour d'elle. Elle s'était radoucie, leurs regards s'étaient croisés et, devant tant d'angoisse, Marie-Thérèse avait compris que rien n'arriverait jamais à la réconforter. Elle avait sangloté jusqu'à ce qu'elle s'endorme, se balançant d'avant en arrière comme un bébé, vulnérable et désespérée entre les bras de Marie-Thérèse.

Heureusement, de tels instants de détresse ne sont pas fréquents, et Esther sait bien les cacher. Marie-Thérèse arrive souvent à la sortir de ces moments difficiles en lui demandant une histoire. Elle en a d'incroyables réserves, et c'est bien ainsi, car Marie-Thérèse a pour sa part découvert l'étonnant plaisir d'écouter. À mesure que les jours se font plus courts et plus froids, les récits d'Esther deviennent pour elle source de réconfort. À travers les histoires de la jeune fille, son imagination s'envole vers des lieux fabuleux où elle n'a jamais mis les pieds, elle croise des gens qui lui semblent plus vrais que son entourage – des riches qui ne la voient même pas et des pauvres qui travaillent trop dur pour passer du temps avec elle. Elle leur préfère la compagnie d'Esther et de ses fantômes.

Lorsque Esther raconte, Hocquart s'arrange souvent pour être aux alentours. Il vient fouiner dans la cuisine ou dans l'une des réserves – partout où il risque de trouver Esther et Marie-Thérèse –, fait semblant de chercher quelque chose, s'attarde dans l'embrasure de la porte comme s'il oubliait l'objet de ses recherches jusqu'à ce que l'une ou l'autre l'invite à venir s'asseoir. Il hésite un moment et fait remarquer tout à coup qu'il a besoin de prendre des notes. Dans son rapport du 26 octobre au ministre de la Marine, il a écrit : « Je vous supplie, Monseigneur, de me prescrire la conduite que je dois tenir à l'égard de cette fille », sachant fort bien qu'il n'obtiendra pas de réponse avant mai ou même juin. Aucun capitaine n'oserait entreprendre une traversée vers le Canada avant cette période de l'année. Même lorsque le Saint-Laurent est praticable, les glaces flottantes aux abords de Terre-Neuve rendent la navigation beaucoup trop périlleuse. Hocquart s'attend à ce que, lorsque la lettre tant attendue arrivera, on lui ordonne de renvoyer Esther Brandeau sans délai, ce qu'il aurait dû faire le jour même de son arrivée. Il avait alors hésité, car elle était sans le sou, et il avait craint de créer un précédent. Il n'a aucunement l'intention de payer à l'avenir le voyage de retour des immigrants illégaux. Depuis son arrivée, cette fille ne lui aura causé que des soucis.

Esther se confond en excuses et le remercie de la bonté dont il fait toujours preuve envers elle. Elle offre de lui préparer une tasse de chocolat qu'il pourra boire en l'écoutant. Marie-Thérèse court chercher la plume et le papier dont il a besoin pour son « rapport » pendant qu'il essaie de trouver où s'asseoir confortablement. Tout est plus cérémonieux, plus compliqué en présence de Hocquart. Esther sait très bien qu'en son absence il interroge souvent Marie-Thérèse, au cas où elle aurait appris du nouveau.

Lorsqu'il est prêt, Esther ferme les yeux et pose ses mains brunes sur ses genoux, l'air de sombrer dans le rêve. Il y a dans sa voix un léger accent étranger, et même si son français est impeccable, un petit quelque chose subsiste que Hocquart n'arrive pas à identifier, des *r* plus ronds, des voyelles plus douces, une intonation plus chantante. Quel qu'il soit, cet accent convient tout à fait aux histoires qu'elle raconte, si souvent étranges et invraisemblables. Si certains détails varient au cours de ses récits, le fond demeure le même, de sorte que chaque épisode de cette fabuleuse épopée est non seulement crédible, mais, pour Marie-Thérèse, parfaitement plausible.

Trop souvent, la gouvernante demande la suite des aventures de Joaquin, la brute au cœur tendre, et de son amour indéfectible pour Aissata, la pauvre esclave. Esther rétorque que cette histoire d'amour un peu folle convient mieux à des dames romantiques qu'à monsieur Hocquart, que cela ne l'intéresse pas et ne saurait en rien faire avancer son enquête. Elle préfère raconter en détail des moments passés en mer, une expédition marchande de l'Espagne vers les côtes de Guinée ou vers les îles sucrières à l'ouest. Mais la curiosité de Hocquart prend le dessus et il déclare que c'est à lui, et pas à elle, de juger ce qui est pertinent. Alors elle obéit.

∿

Après avoir quitté Aissata, Joaquin sombra dans une profonde tristesse, triste pendant les fêtes données par la milice portugaise, triste aussi à bord du navire qui le ramenait à Cadix, encore plus triste dans la charrette à bœufs qui le mena à son village. Réfugié en lui-même, il restait immobile pendant des jours dans la maison de sa mère, pendant qu'elle pleurait et qu'elle priait pour son pauvre enfant blessé, heureuse de le retrouver, mais furieuse de le voir ainsi, le corps et l'âme pareillement brisés. Il se décida un jour à descendre au port réparer les filets de ses frères. Là, il écouta les chants et les lamentations de la mer, ses murmures et ses menaces, convaincu qu'elle tentait de lui parler et que, s'il l'écoutait attentivement, il arriverait à redonner un sens à sa vie. « Rêve, rêve, rêve... », chantaient les vagues, « tu vas voir, voir, voir... », murmuraient-elles en roulant sur les galets. « Je n'ai d'autre rêve que de revoir Aissata, songeait Joaquin, mais je ne la mérite pas, je suis aveugle pour toujours, voilà mon châtiment. »

Un jour, alors qu'il défaisait un nœud particulièrement compliqué, il entendit un cri perçant, puis un plouf, et il sut tout de suite qu'une enfant venait de tomber au bout du quai. Trop absorbé par sa tâche, il n'avait pas senti sa présence. Il appela au secours à tue-tête, sûr que quelqu'un, tout près, allait l'entendre. L'enfant hurlait toujours, l'eau salée l'étouffait, les cris le firent paniquer jusqu'à ce qu'il se rende compte qu'être aveugle ne l'empêchait pas de plonger, de nager vers la voix de la petite et de la ramener saine et sauve. Il lui cria de rester calme, de remuer les jambes et les bras, de garder la tête hors de l'eau. Et il plongea ! En un clin d'œil, deux petits bras s'accrochèrent à son cou. Nageant vigoureusement, il retrouvait avec bonheur la puissance de ses jambes, la force de ses bras qu'il avait oubliées, et il ramena l'enfant sur le rivage.

Le petit visage enfoui dans le cou de Joaquin, le souffle chaud sur sa peau froide éveillèrent ce qui dormait en lui depuis des mois. Il murmura à l'enfant des mots d'encouragement, il la berça entre ses bras. Elle s'appelait Estella et lui expliqua qu'elle n'avait jamais pu apprendre à nager, car elle boitait. Elle lui demanda de lui montrer comment, et il promit. Ils restèrent tous les deux assis sur la plage de galets, heureux d'être vivants.

Puis ils entendirent les cris de la mère, des frères et sœurs, du boucher venu porter secours et de deux jeunes curieux. Quand ceux-ci comprirent ce qui s'était passé, ils firent de Joaquin leur héros. On organisa une grande fête en son honneur, le boucher fit rôtir un cochon de lait et tout le village célébra le sauvetage. On se réjouit de voir le jeune aveugle sortir enfin de son abattement, son visage de marbre défiguré par une balafre retrouver un peu de la beauté de son enfance.

Était-ce une coïncidence? Le lendemain matin, lorsque Joaquin ouvrit les yeux, il perçut la lumière et, au cours des mois qui suivirent, sa vue ne cessa de s'améliorer. Sa mère attribua ce miracle à la Vierge Marie qu'elle avait tant priée, le médecin du village déclara que cela était dû au temps et aux bontés de la nature, mais Joaquin, lui, crut fermement à la miséricorde divine. S'il n'avait pas réussi à sauver Aissata, il avait sauvé une autre jeune fille à sa place. Pour Joaquin, c'était un signe du destin. Quelques années plus tard, il épousa Estella dont il eut trois enfants, mais comme rien ne savait remplacer l'océan, son premier amour, il passa plus de temps loin de sa famille qu'avec elle.

Monsieur Hocquart, vous rappelez-vous ce que j'ai raconté lors du banquet du gouverneur à propos de Joaquin, du docteur Esteban et de moi-même, quand nous avons été abandonnés sur l'île que nous avons baptisée Tortugas? Durant notre exil, nous avons souvent parlé de notre mort probable et de nos remords d'avoir péché, nous avons imploré le pardon miséricordieux de Notre-Seigneur. Petite, même si j'avais alors beaucoup moins à regretter qu'aujourd'hui, je me sentais souvent triste et coupable. J'avais toutefois la conscience plus légère que celle de mes compagnons. Parce qu'ils étaient plus âgés que moi ou peut-être parce que c'étaient des hommes, la vie leur avait offert plus d'aventures et, nécessairement, plus de mésaventures. Et si j'ai envié leur liberté, j'en comprenais bien le poids.

Curieusement, ce médecin éduqué et ce marin illettré, si différents par leur allure, leurs manières d'agir et leur éducation, éprouvaient les mêmes remords : ils étaient tous les deux tourmentés par le fait d'avoir abandonné la femme qui leur avait sauvé la vie. Ils ont fait alors le serment solennel, se coupant le pouce d'un coup de couteau et mêlant leur sang – rituel qui m'avait grandement étonnée, car ils l'avaient fortement critiqué quand ils en avaient été témoins sur le navire des pirates –, que s'ils survivaient chacun d'eux chercherait à retrouver sa bienfaitrice perdue de vue depuis si longtemps, et à la sauver si elle était encore vivante.

Joaquin fut vite obsédé par sa promesse. Il appelait Aissata dans son sommeil et murmurait son nom même quand il était éveillé. Il jurait devant Dieu que, s'il parvenait à s'évader de ce rocher maudit, il ne trouverait pas de repos tant qu'il ne l'aurait pas libérée. Au début, je me disais que son idée fixe venait du fait que, comme il n'avait rien d'autre à penser, la culpabilité avait tout le temps de mijoter dans son esprit. Nous sommes tous susceptibles de cultiver ce genre de chimère lorsque nous sommes malades, angoissés, ou quand nous faisons fausse route, n'est-ce pas ? Quoi qu'il en soit, même quand nous nous retrouvâmes en sécurité sur le *Lys*, Joaquin resta bien décidé à sauver Aissata, contrairement à Esteban qui oublia son vœu et affirma que dès que nous serions de retour sur la terre ferme, il n'en bougerait plus.

Il s'avéra que le docteur devait rentrer chez lui pour se marier. Quelques mois auparavant, ses parents lui avaient choisi un parti, et c'est en réaction à ces fiançailles qu'il avait pris la mer. À cette époque, le mariage lui semblait terne, et il espérait pouvoir vivre une dernière aventure pendant qu'il était encore célibataire. Maintenant qu'il en avait vécu plus que prévu, l'idée d'un repas chaud et d'un lit douillet passait avant tout. Esteban s'amusait à tracer pour nous un portrait de ce que seraient ses vieux jours – vieillard tremblotant à la barbe grise jouant aux échecs sur la place du village –, si bien que ni Joaquin ni moi n'osâmes lui reprocher de briser la promesse qu'il avait faite de libérer Edza du harem. Nous étions trop heureux d'avoir été sauvés nous-mêmes pour le blâmer de rêver d'une vie paisible.

Joaquin, lui, n'oublia pas son idée. Un jour, il demanda au capitaine de le laisser débarquer au Cap-Vert. Pontevez accepta, quoiqu'il jugeât absurde qu'un vieil homme fraîchement rescapé veuille être abandonné sur une île où vivaient autant de sauvages ; mais comme nous n'étions pas Français, il n'avait aucune obligation de nous ramener avec lui. Ce manque d'autorité nous déçut, Esteban et moi. Nous suppliâmes Joaquin de reprendre des forces avant d'entreprendre une quête aussi difficile. Nous lui suggérâmes – aussi gentiment que possible – d'aller peut-être faire des adieux convenables à sa femme et à ses enfants au cas où les choses tourneraient mal ou prendraient plus de temps que prévu. Mais rien de ce que nous dîmes n'eut de prise sur lui. Il avait promis devant Dieu, son cœur obsédé le menait dans une seule et unique direction.

Comment il allait pouvoir retrouver une esclave noire – dans une île qui devait son existence au travail de ces gens –, cela restait un mystère, mais il déclara qu'il n'aurait pas l'âme en paix tant qu'il n'aurait pas tenté de le faire. Comme je n'avais ni amis ni patrie, je proposai de l'accompagner. À mon grand regret, Joaquin accepta que je le suive tant que le *Lys* serait à quai, mais exigea que je rejoignis ensuite l'équipage. Ce rêve n'appartenait qu'à lui, et comme j'étais une Blanche, j'aurais un meilleur avenir en Europe qu'en Afrique.

Pas encore habituée à me voir comme une Blanche, et encore moins comme une fille, je m'étonnai de son argument; et qu'il crût de son devoir de me trouver un nouveau chaperon m'agaçait, comme si je n'étais pas assez vieille pour prendre soin de moi. Esteban offrit de m'adopter à son tour et de me ramener en Espagne, mais comme il avait décidé d'abandonner la vie en mer, sa proposition ne m'intéressait pas. Joaquin me comprit et fit en sorte que monsieur Fourget, marin de carrière, me prît avec lui dans ses prochains voyages. Puis nous descendîmes à terre le temps d'une permission dont nous avions grand besoin. À dire vrai, j'étais aussi excitée que Joaquin à l'idée de retrouver celle qui lui avait sauvé la vie.

Pour moi, bien sûr, tout cela n'était qu'un jeu. Je doutais que nous puissions retrouver quelqu'un que Joaquin n'avait pas vu depuis quarante ans, mais l'idée de l'accompagner me plaisait. Sa quête donnait un sens à ce qui autrement n'aurait été qu'une sorte d'errance absurde sous un soleil de plomb. Quand il s'arrêta pour demander où il pourrait trouver Aissata, cherchant ses mots dans une langue qu'il n'avait pas parlée depuis longtemps, j'en profitai pour observer les gens et les alentours.

Comme par miracle, Joaquin se souvenait des noms et de l'âge approximatif des membres de la famille d'Aissata. Mais puisqu'il était aveugle à l'époque, il ne put en donner aucune description, pas même d'elle, son grand amour. Chaque fois qu'on lui demandait à quoi elle ressemblait, il répondait « à un ange », ce qui n'était pas particulièrement pratique pour identifier une femme d'une cinquantaine d'années qui avait vraisemblablement eu la vie dure, pour peu qu'elle fût toujours vivante.

Au bout de quatre jours, tout cela devint assommant et Joaquin commença à se décourager, quand soudain une femme l'interpella. La voix venait d'un étal couvert de bananes, de mangues, de papayes, de tamarins et de ces fruits étranges que l'on appelle « pomme-cannelle » et qui goûtent un peu le savon parfumé. Derrière cette montagne de fruits se tenait une toute petite dame, si vieille que ses yeux disparaissaient dans ses rides et que son menton était couvert de poils blancs. Elle fumait la pipe, ce qui rendait son discours encore plus difficile à comprendre, mais Joaquin finit par saisir qu'elle connaissait celle que nous cherchions, qu'une femme du nom d'Aissata possédait une auberge appelée « Au garçon perdu », à l'autre bout de l'île.

Nous trouverions bien au marché quelqu'un pour nous y conduire.

La chance était de notre côté, nous partirions dès l'après-midi. Je courus en avertir le capitaine Pontevez, qui me répondit que je pouvais aller où je voulais, mais qu'il levait l'ancre dans quatre jours, avec ou sans moi. Je promis de revenir à temps, puis Joaquin et moi traversâmes l'île dans une charrette lourdement chargée de ballots de tissus. Le conducteur nous expliqua que ces tissus servaient autant pour l'habillement que comme monnaie d'échange dans les îles, et qu'ils étaient très précieux pour les négociants africains du continent qui n'avaient pas les moyens de se les procurer. Nous n'y comprîmes pas grand-chose, mais il nous parut clair qu'il y avait quelque illégalité là-dessous, la propriétaire de l'auberge y était pour quelque chose, et c'est la raison pour laquelle il s'en allait tout droit chez elle.

Nous passâmes la nuit sous les étoiles, couchés sur les ballots, et nous reprîmes la route très tôt le lendemain. Mes deux compagnons ne parlaient pas, alors j'écoutais le chant des oiseaux et je les regardais voler en piqué dans le ciel pâle du matin. Il faisait chaud, rien ne bougeait, la campagne était déserte comme au premier jour de la création. Nous nous arrêtâmes quelques fois en chemin pour cueillir des fruits et boire l'eau claire d'un ruisseau, et pas plus d'une douzaine de mots ne furent échangés au cours du voyage.

Nous arrivâmes à l'auberge à la nuit tombée. C'était un petit bâtiment rose qui surplombait la mer, avec une large galerie qui courait sur ses quatre côtés, et tout autour des fleurs aux couleurs vives et de très hauts palmiers chargés de fruits. J'eus à peine le temps d'admirer la beauté de l'endroit que le conducteur se mit à rouspéter, il avait besoin de notre aide pour décharger la charrette. Tout à coup, j'entendis un soupir et je sentis Joaquin s'éloigner. Levant les yeux, j'aperçus dans l'embrasure de la porte la silhouette d'une dame élégante, le visage dans l'obscurité. Quand Joaquin prononça son nom dans un murmure qui avait tout d'un chant, elle courut se jeter dans ses bras.

Au cours de la soirée que je passai avec eux, j'eus le bonheur d'entendre l'histoire d'Aissata, ou du moins ce que Joaquin put – ou désira – me traduire. Voici ce que j'en ai retenu.

Après sa capture, Aissata avait été vendue par ses ravisseurs à un riche marchand, pour assister son chef cuisiner et s'occuper du service lors des nombreux banquets. C'est à l'occasion d'un de ces festins qu'un commerçant juif assez âgé la remarqua. Il avait besoin d'une gouvernante et proposa un bon prix au maître d'Aissata, qui accepta le marché, ayant déjà bien assez d'esclaves. Aissata était au désespoir, elle se trouvait bien là où elle était, et aussi longtemps qu'elle y resterait on lui permettrait de voir sa famille à l'occasion. Malgré ses supplications, elle dut suivre son nouveau maître. Il fut assez bon pour lui permettre de dire au revoir à sa mère avant de prendre la mer, et cela la rassura. Mais après toutes les épreuves qu'Aissata avait subies, quitter le Cap-Vert fut de loin la plus dure.

La vie chez Jacobo Farrega était agréable. Il se montrait courtois, aimable, et savait apprécier son travail. Il allait jusqu'à l'appeler « mademoiselle Aissata », lui disait « s'il vous plaît » et « merci », ce qu'aucun autre Blanc n'avait jamais fait auparavant. Pour échapper à l'Inquisition, la famille Farrega avait dû quitter le Portugal, de sorte que, tout comme Aissata, son maître était reparti à zéro. Ce qu'il lui raconta de l'histoire des Juifs – fuyant perpétuellement l'esclavage et la torture, exilés parmi les étrangers, objets de mépris et de méfiance – les rapprocha, et avec le temps se créa entre eux une véritable affection. Quand en fin de compte il la demanda en mariage, elle accepta malgré leur différence d'âge. La naissance de leur fils Benjamin – qui a depuis fondé sa propre famille – les combla de bonheur.

Jacobo faisait le commerce des tissus du Cap-Vert avec des marchands européens, transactions interdites par le Portugal, mais les Juifs exploitaient le marché sans se soucier des lois, source de conflits avec les autres marchands portugais. Autrefois, cette rivalité avait engendré la violence, l'Inquisition avait même débarqué au Cap-Vert, mais la paix était finalement revenue. Une nuit, l'entrepôt flamba mystérieusement, et Jacobo mourut en tentant bêtement de sauver ses biens. Qui étaient ses ennemis, se demandait Aissata, allaient-ils récidiver ? Devant trop d'incertitude, elle décida de rentrer au Cap-Vert avec un petit pécule et son fils Benjamin, âgé de sept ans. Elle découvrit que sa famille était morte de faim au cours d'une terrible sécheresse ; elle et son fils étaient maintenant seuls au monde, mais libres. Ils avaient de l'argent, elle reprit tout du début, acheta cette petite auberge à l'autre bout de l'île et reprit les affaires de son mari : les pêcheurs accostaient soi-disant pour vendre leurs prises et repartaient avec des tissus qu'ils allaient revendre sur la côte.

Joaquin s'émerveillait de ce qu'elle s'en fût si bien tirée, lui qui avait à peine osé espérer la retrouver, encore moins libre et riche propriétaire. Il pouvait maintenant mourir en paix. Avec un sourire empreint de tristesse, elle le considéra un moment avant de répondre que non, sa vie n'était pas aussi belle qu'il le croyait puisqu'elle était aujourd'hui seule au monde.

— Et ton fils ? demanda Joaquin. C'est lui, le garçon perdu ?

— Non, cher Joaquin, c'est toi, et depuis toujours.

À ces mots, il la prit dans ses bras. Je me glissai hors de la pièce pour aller dormir sous les étoiles et réfléchir aux mystères de la vie. Le lendemain matin, je fis mes adieux à Joaquin et je rentrai au port.

෴

Les yeux fermés comme chaque fois qu'elle raconte, Esther n'a pas remarqué l'agitation qui s'est emparée de Hocquart à mesure que l'histoire d'amour entre Joaquin et Aissata s'acheminait vers un heureux dénouement. Marie-Thérèse, elle, en est ravie. C'est au moment où l'intendant s'étouffe, pris d'une terrible quinte, qu'elle réalise à quel point il est contrarié. Elle ouvre les yeux, déconcertée, et voit Marie-Thérèse partir à la course lui chercher un verre d'eau. Qu'est-ce qui se passe encore?

— Vous faites de cet homme un héros, bredouille Hocquart lorsqu'il reprend son souffle, alors qu'il a laissé femme et enfants pour une criminelle.

— Ce serait un crime d'être esclave, monsieur? demande Esther.

Elle sait qu'il y a des esclaves en Nouvelle-France. En effet, elle a entendu dire que le marquis de La Boische avait vingt-sept esclaves, ce qui suffit à justifier l'aversion naturelle qu'elle éprouve envers lui. Comment Hocquart, qui lui a toujours semblé bon et rationnel, peut-il excuser quelqu'un qui revendique le droit de « posséder » l'un de ses semblables?

— Je parle du travail d'Aissata en tant que contrebandière. De plus, l'adultère est péché.

— Pire pour Aissata que pour Joaquin?

Hocquart juge que de s'engager dans une discussion sur la moralité avec une jeune femme qui est, du moins pour la forme, sa prisonnière est indigne de lui.

— Montez dans votre chambre, Esther, et tout de suite! À partir de maintenant, vous allez y rester et cesser de faire perdre son temps à ma gouvernante avec vos balivernes.

— Je vous en prie, monsieur Hocquart, dit Marie-Thérèse, affrontant son patron avec une audace tout inhabituelle, j'ai besoin d'elle pour la pâtisserie. N'oubliez pas que Noël approche.

Devant la tristesse qui se dessine sur le visage des deux femmes, il ajoute:

— Bien. Vous pouvez continuer d'aider Marie-Thérèse à la cuisine, puisqu'elle a besoin de vous. Mais vous ne racontez plus rien.

— Puis-je encore profiter de votre bibliothèque, monsieur? murmure Esther, presque gênée de le lui demander.

— Si vous promettez de bien vous tenir.

Là-dessus, il leur tourne le dos et se retire, satisfait de l'autorité dont il vient de faire preuve, quoique toujours aussi incertain de ce qu'il doit faire de son imprévisible protégée. Une jeune femme ne débarque pas en Nouvelle-France sans être accompagnée, sauf dans le cas où l'attendent un futur mari, un futur employeur ou au moins une famille, et Esther Brandeau n'a personne. Elle dit vouloir travailler pour qui voudra bien l'engager, mais aux yeux de Hocquart ce ne serait pas prudent, puisqu'on ne connaît toujours pas sa véritable identité. Comment pourrait-il imposer à quelqu'un une jeune fille sans papiers? Or, il est de son devoir de préserver la sécurité de la colonie.

Jeter la jeune fille en prison simplement parce qu'elle s'est enfuie sur un navire lui semble toutefois bien injuste. Soit, elle a enfreint deux lois en taisant son identité et en se faisant passer pour un garçon, mais comme elle n'a causé de tort à personne en agissant de la sorte, il a du mal à envisager un châtiment, peu importe que Beauharnois s'en offusque. Que le marquis Charles Beauharnois de La Boische puisse prendre la chose comme une insulte personnelle incite l'intendant Gilles Hocquart à faire plutôt preuve de clémence.

Chaque fois qu'il pense à Esther, il est pris de migraine. Chaque fois qu'elle le voit abattu, la tête entre les mains, elle lui offre une tasse de chocolat. Comment peut-il être aussi bêtement sensible au chocolat d'Esther et à ses récits ! Le chocolat – comme les histoires – le rend heureux et le porte à la paresse. Il trouve mille excuses pour l'écouter, médusé, alors qu'il devrait s'occuper de rendre justice, de faire avancer ses projets de chantier naval ou de voir aux nombreuses tâches qui doivent assurer la prospérité de la colonie. La présence de la jeune fille le charme, et ses récits le fascinent.

Pire encore, les histoires d'Esther ébranlent ses convictions. S'il tient ses contes pour vérité, ses certitudes s'écroulent. Pour elle, les esclaves ont droit à la liberté, les infidèles sont aussi purs que les chrétiens et la femme est l'égale de l'homme. Il connaît bien sa Bible, et la Bible dit : *Heureux les doux, car ils auront la terre en partage.* Mais seulement au second avènement du Christ, pas maintenant ! L'intransigeance d'Esther Brandeau n'a pas sa place dans une colonie aussi éloignée du royaume de Sa Majesté.

❧ HUIT ❧

Mas vale cien anos en cadena
que un ano debaxo de la tierra

Mieux vaut un siècle dans les chaînes
qu'une année dans la tombe

Les vents cinglants de novembre arrachent aux arbres leurs dernières feuilles, qui se mêlent à la boue sous les pas des hommes et des chevaux, boue qui gèle et dégèle selon les caprices de la température, froide la nuit, à peine plus chaude en mi-journée. Aller au marché devient périlleux, on en rentre crotté. Il fait noir de plus en plus tôt et l'obscurité affecte le moral de la population. Privée des histoires d'Esther, Marie-Thérèse se venge, ordonne durement aux servantes de balayer, de laver les fenêtres et de battre les tapis. Elle qui n'a pourtant jamais été oisive trouve maintenant de plus en plus de raisons de s'occuper.

Pour ne pas nuire à la gouvernante, Esther reste à l'écart. Enveloppée dans un grand châle, elle passe son temps dans la bibliothèque de l'intendant, inoccupée durant les heures de travail, et quand le soir Hocquart en a besoin, elle se retire dans sa chambre sous les combles. Par la fenêtre de la bibliothèque, elle observe le souffle blanc des chevaux et les gens emmitouflés dans leurs épais manteaux de laine, coiffés de bonnets rouges ou bleus. Seuls les pins ne changent pas, toujours verts et lustrés, si costauds à côté de leurs cousins dénudés. Ils montent la garde aux abords du domaine de l'intendant. Ce sont eux, les vrais habitants de ce pays, eux, et les Indiens.

Malgré la peur qu'en a Marie-Thérèse, Esther se voit bien se sauver pour aller les retrouver. Avec eux, elle apprendrait à pagayer dans un canot d'écorce, à chasser les oiseaux avec un arc et des flèches, et à faire cuire ses prises sur le feu. À l'aise dans des vêtements de peau, elle explorerait cette région sauvage en toute liberté. Dormir dans une hutte au milieu d'un clan tapageur serait aussi réconfortant que de dormir à bord d'un navire, sans le désavantage de se faire réveiller toutes les quatre heures. La vie d'une vaillante sauvagesse, Esther en rêve de plus en plus à mesure que ses journées de solitude se transforment en semaines. Elle décide de profiter de sa réclusion pour en apprendre plus à propos des Indiens.

Ayant découvert dans la bibliothèque les *Relations des Jésuites* en latin et en français, elle étudie d'abord cet étrange témoignage de courage et d'horreur, elle se penche sur les habitudes de vie des Hurons et les voyages des Européens. Elle a déjà lu les ouvrages de Samuel de Champlain et les reprend avec une curiosité nouvelle, s'intéressant davantage cette fois à ses récits sur les autochtones qu'à ses talents de navigateur. Sa plus grande découverte demeure le dictionnaire huron de Joseph Le Caron et le recueil d'expressions du récollet Gabriel Sagard. Sans rien d'autre à faire pour occuper ses journées, depuis toujours attirée par les langues et apprenant vite, elle commence à étudier celle des indigènes.

Le père d'Esther a toujours cru en l'éducation, il s'est assuré que même ses filles sachent lire, écrire, et connaissent les rudiments des mathématiques. Une fois ces notions maîtrisées, le grand plaisir d'enfance d'Esther était d'assister aux cours de son frère aîné sur des sujets plus riches comme la philosophie, la géométrie, le latin et le grec. De cela, elle a retenu qu'il vaut mieux dresser par écrit la liste des mots étrangers afin de pouvoir les mémoriser. Il est difficile de se procurer du papier, mais elle s'arrange pour en demander à Marie-Thérèse, qui fouille les corbeilles du bureau de monsieur Hocquart et celles du palais de justice pour lui en trouver. Jour après jour, Esther travaille en cachette, attendant le moment d'impressionner l'intendant par son savoir. Étant donné son poste important, elle espère qu'il saura apprécier la rapidité avec laquelle elle a appris le dialecte huron et, qui sait, devant un tel effort de sa part, lui permettra de rester. Hocquart l'observe à l'occasion, silencieux, sur le pas de la porte, les yeux pleins de bonté, mais il n'engage plus jamais la conversation avec elle. Il lui a dit récemment d'une voix où pointait la menace :

— Varin a eu des nouvelles. Nous le verrons sans doute bientôt. Préparez-vous.

Mais Varin n'est toujours pas passé, et Esther en vient presque à souhaiter être soumise à un insolent interrogatoire plutôt que de subir encore longtemps cette solitude.

Elle a passé la plus grande partie de son enfance à faire, comme aujourd'hui, la navette entre la cuisine et la bibliothèque, à la recherche d'indices qui lui auraient montré comment bien se conduire, apprendre à cuisiner pour parvenir à plaire à ceux qui se méfiaient d'elle, transformer comme par magie ses larmes amères en un merveilleux dessert, comme si cela eût fait d'elle quelqu'un de convenable. Comment son idée audacieuse de traverser l'océan travestie en garçon a-t-elle pu la faire revenir à son point de départ, à la vie même qu'elle avait quittée ?

La vie est injuste, et elle le sait. Une de ses premières constatations fut l'injustice sociale qui permet d'accuser ou de récompenser quelqu'un pour quelque chose qui échappe totalement à la volonté et dont il est impossible de tirer quelque mérite. Depuis toujours, elle ne cesse de se poser des questions qu'elle n'oserait jamais formuler à voix haute. Pourquoi considère-t-on les hommes comme supérieurs aux femmes ? Pourquoi accorde-t-on un si grand respect au marquis de La Boische ? se demande-t-elle maintenant. Simplement à cause de son titre ? Et puis, qu'est-ce qu'un marquis ? Elle l'ignore et soupçonne que bien peu de gens le savent, mais chacun s'en arrange puisque Beauharnois fait partie de l'aristocratie. On lui doit le respect malgré qu'il soit un horrible individu que personne n'apprécie réellement.

Un matin, quand Esther s'éveille, tout est blanc. À chaque fenêtre, des guirlandes de cristaux et, sur les arbres dénudés, une neige duveteuse. Une gaieté un peu folle s'empare de la haute-ville. Dans leurs superbes fourrures, les dames ont les joues rosies par le froid – bien plus qu'elles ne l'ont jamais été par leurs couches de fard –, elles vont d'une maison à l'autre et passent leurs soirées à jouer aux cartes et aux échecs, à faire de la musique et à danser. Les paysans se réjouissent eux aussi de cette atmosphère joyeuse. Le temps froid sert de prétexte : les gens se rendent visite de plus en plus souvent parce que le froid les empêcherait d'exercer leur métier. Dans certains cas, c'est tout à fait vrai. Mais même quand ce ne l'est pas, bien des gens savent profiter de cette atmosphère propice au plaisir. À l'exception de Hocquart, dont le travail n'a rien de saisonnier ni de frivole.

À mesure que le temps passe, la situation problématique d'Esther devient pour lui un véritable fardeau. Depuis les derniers mois, elle a été plus ou moins assignée à résidence, mais il sait bien qu'il aurait dû la renvoyer en France pendant qu'il en était encore temps. Des rumeurs lui sont parvenues de Ville-Marie, où Beauharnois passe l'hiver : le gouverneur s'amuse à appeler Esther « l'enfant sauvage de Hocquart », il a pris l'habitude de faire des blagues à ses dépens, dont certaines tout à fait déplacées.

Cela ne peut plus durer.

Pour la haute société sans cesse en quête de nouvelles distractions, toutes les raisons sont bonnes de réclamer la présence d'Esther : on l'invite à patiner sur le fleuve ou à rendre visite aux Hurons de Petite-Lorette. Ceux qui n'étaient pas présents au banquet de Beauharnois veulent entendre ses histoires à leur tour, ceux qui y assistaient en redemandent. Hocquart s'efforce de décourager toute invitation, mais il a finalement acquiescé à la demande que lui a faite madame Lévesque à l'occasion d'une fête qu'elle a donnée au Nouvel An. Cette dame avenante qu'Esther a rencontrée au banquet de Beauharnois fait partie d'une des familles les plus influentes de la colonie, c'est une amie personnelle et une alliée. Hocquart a trop peu d'amis aussi précieux et, comme il n'a pas l'intention de se la mettre à dos, il a cédé.

Début janvier, sous un soleil éblouissant, madame Lévesque vient chercher Esther pour une journée de promenade. Une dame âgée l'accompagne, le regard tendre dans un visage tout ridé. Les deux amies sont emmitouflées dans leurs gros manteaux d'hiver, couvertes de grands châles et blotties sous des peaux d'ours. Coincée entre elles, Esther peut à peine respirer. Les peaux sentent le rance et la poussière, mélange d'odeur de chien mouillé et de vieux tapis, mais le tintement si gai des grelots au cou des chevaux, les branches qui brillent au-dessus de leurs têtes contre le bleu du ciel, le bonheur de quitter l'atmosphère morose de la maison de Hocquart, tout cela lui fait surmonter son dégoût, et elle se surprend même à caresser la fourrure rêche avec un certain plaisir.

— Où allons-nous, madame Lévesque ? demande Esther.

— C'est une surprise.

Là-dessus, madame Lévesque pose son doigt ganté sur ses lèvres avant de sortir de sous les fourrures une bouteille de cognac dont elle offre une gorgée à chacune de ses invitées. Madame Duplessis commence par refuser, mais finit par se laisser convaincre que, par une journée aussi froide, l'alcool n'est rien de plus qu'un médicament.

— Madame Duplessis pratique l'abstinence, explique madame Lévesque. Jeune, elle voulait entrer dans les ordres.

— Pourquoi? demande Esther.

Alors que d'ordinaire elle aurait dû s'offusquer d'une telle question, madame Duplessis cherche, devant le regard candide d'Esther, comment expliquer ce qui est si cher à son cœur plutôt que d'y répondre de manière superficielle.

— Quelle autre voie une femme intelligente aurait-elle pu envisager? demande-t-elle.

La franchise de la vieille dame étonne Esther. Élevée dans la crainte des religieuses, elle traversait la rue lorsqu'elle en voyait venir une, pour éviter le mauvais œil. Il ne lui serait jamais venu à l'esprit qu'une communauté de saintes femmes puisse servir de refuge plutôt que de prison.

— Et vous avez quitté le couvent?

— Mon père tenait à ce que je me marie.

— Vous ne pouviez pas vous y opposer?

— Quel pouvoir possède une jeune fille de seize ans?

— Celui de s'enfuir.

— Comme vous ? demande madame Duplessis en riant pour la première fois, révélant de jolies dents très blanches. Non, ma chère, je n'ai jamais eu l'âme d'une rebelle.

Elle retombe dans une sorte de méditation, signe que la conversation est terminée. Les yeux fermés, et sans prévenir, la vieille dame soupire et s'endort, la tête appuyée sur l'épaule d'Esther, aussi confiante qu'un petit enfant.

— Laissons-la se reposer, pauvre elle, dit madame Lévesque. Elle a été très malade, voilà pourquoi je l'ai invitée à sortir avec nous.

Esther essaie de ne pas bouger pour laisser la vieille dame dormir en paix, aussi malaisé que ce soit de rester immobile quand la carriole dérape sur une plaque de glace ou se prend dans une ornière et que le conducteur doit descendre pousser pour la sortir de là. Elle s'étonne de la confiance que lui portent ces deux femmes et de celle qu'instinctivement elle leur accorde en retour. Où l'emmènent-elles et pourquoi tout à coup Hocquart lui a-t-il permis de sortir ? Tout cela est bien mystérieux, mais néanmoins bienvenu, car la vie est devenue bien monotone depuis un certain temps. Dans la maison de l'intendant, tout le monde a été pris dans le tourbillon de Noël, tout à la joie du congé qui leur permettait d'aller visiter leur famille et leurs amis. Ainsi, Esther a pu profiter un peu plus de la présence de Marie-Thérèse à la cuisine, mais malgré cela, sa vie n'est toujours qu'angoisse et solitude.

Elles empruntent le chemin du Roy vers le nord, dépassent de joyeux voyageurs tandis que d'autres filent dangereusement sur la glace près du rivage, dans leurs traîneaux tirés par des chevaux. Madame Lévesque explique à Esther que, pendant les longs hivers québécois, le passe-temps favori de ces jeunes téméraires se termine parfois de façon tragique. Mais il n'y a pas moyen de les empêcher de s'y livrer. Son propre fils, Joseph, qui vit maintenant à Ville-Marie, refuse d'entendre raison et fait ainsi la course avec ses amis.

La route longe le bord du fleuve. Alignées sur ses rives, les maisons des paysans passées au lait de chaux et, de temps à autre, les grands manoirs des seigneurs sur les terres desquels ils travaillent. Madame Lévesque semble connaître l'histoire de chaque propriété qu'elles croisent et raconte les derniers potins sur chacune des familles. De cette manière, le temps passe vite et, quand la carriole s'arrête, elle s'écrie :

— Nous y voici !

Esther lève les yeux. Au pied d'un pin, deux Hurons, curieux, les observent. Tous les deux très grands, ils ont le teint foncé, sont vêtus de vestes de peau de chevreuil décorées de plumes et portent en bandoulière de petits sacs joliment décorés. Leurs pantalons, de peau de chevreuil aussi, sont retenus par des bandes brodées et sont enfoncés dans leurs bottes, brodées également, et leur longue chevelure est coiffée de manière assez extravagante pour faire l'envie des dames au bal du gouverneur. Si ce sont leurs vêtements de tous les jours, se dit

Esther, comment ces hommes magnifiques s'habillent-ils pour les grandes occasions?

Mis à part une fois au marché, où Marie-Thérèse n'avait pas voulu qu'elle s'en approche, pas même des femmes et des enfants, jamais elle ne s'est trouvée aussi proche d'un indigène, et elle en est toute fébrile. Loin de la haute surveillance de la gouvernante pour la première fois, Esther est bien décidée à les saluer pour mettre à l'épreuve le vocabulaire qu'elle a étudié dans la bibliothèque de Hocquart.

— *Kweh*, dit-elle en levant la main en guise de salut.

Les deux hommes la dévisagent, l'un moins sévèrement que l'autre. Son salut enthousiaste ne les impressionne pas, Esther en est blessée. Son rêve de vivre en forêt comme une jeune Indienne se révèle soudain illusion passagère, folle fantaisie d'une jeune excentrique sans pouvoir ni ressources. Pourquoi s'est-elle bercée de tant d'illusions? Pour elle, il n'y a pas d'échappatoire, ni en forêt ni ailleurs. Elle n'est pas d'ici, où les familles comme celle de madame Lévesque remontent à trois générations et où les Indiens vivent depuis toujours. Elle n'est nulle part chez elle et ne le sera jamais. Tout à coup très triste, elle cache instinctivement son visage entre ses mains, ce qui ne manque pas d'intriguer madame Lévesque.

— Non, non, Esther, regardez plutôt par ici, dit-elle en montrant du doigt quelque chose au loin.

Oui, ce «quelque chose» miroite là-bas, tombe en cascade d'une hauteur impressionnante et réfracte la lumière comme un millier de lustres. On dirait du verre, mais c'est vivant, on dirait de l'eau qui coule, mais de manière retenue. À sa base, une matière étrange, laiteuse et opaque, mousse et s'élève en nuage, turbulente et calme à la fois, comme si des vagues cascadaient vers la rive sans arriver à se briser sur la vaste étendue blanche qui s'étend dans toutes les directions, sur laquelle des dizaines de personnes se promènent à pied ou en carriole, pendant que les chiens font des cabrioles, jappent et s'excitent, et que de plus en plus d'Indiens les observent en silence, certains enveloppés dans leurs couvertures rouge et noir, d'autres dans leurs vêtements de peaux et tirant des traîneaux bourrés de provisions.

Ce qu'Esther contemple, c'est une énorme chute à demi gelée de plus de deux cents pieds de haut, comme si l'eau avait gardé le souvenir de son propre mouvement, se dit la jeune fille, comme si le temps s'était arrêté entre deux soupirs pour que l'on puisse l'admirer plus intensément.

— Où sommes-nous? demande-t-elle.

— Aux chutes de Montmorency, répond madame Lévesque.

Esther saute en bas de la carriole sans attendre que les deux dames se soient extirpées de leurs épaisses peaux d'ours. Elles sont tout heureuses d'admirer le paysage sans avoir à descendre et profitent de loin de la joie d'Esther. Elle court vers les chutes, s'enfonce dans la neige jusqu'aux genoux, jusqu'à ce qu'elle ne puisse plus avancer. L'air pur l'étourdit, le froid lui brûle les poumons, un point dans la poitrine lui coupe le souffle.

Avant cet hiver à Québec, le peu qu'Esther a connu

de la neige n'avait rien à voir avec celle-ci, si épaisse que l'on s'y enfonce comme dans un marais. Elle essaie d'abord d'y nager, ce qui fait rire les deux dames. Puis elle balaie des deux mains la crête des bancs de neige, une tempête de flocons tourbillonne autour d'elle. Pour Esther, la neige est une substance étrange, impossible à décrire. On la dirait sèche et solide comme du sable, mais aussitôt qu'on y touche, elle s'évanouit comme par magie, retombe délicatement comme des brassées de fleurs et tisse des toiles fines comme une dentelle avant de s'agglutiner en grosses masses collantes comme la glaise. Gelée, elle se fait transparente, autrement elle est opaque. La neige lui rappelle mille choses, mais les comparaisons s'effacent les unes après les autres et la neige n'en est que plus unique.

Esther se laisse tomber sur le dos et fixe le ciel au-dessus d'elle, le même partout, où qu'on soit sur la terre. Où s'achève le ciel? Et s'il a une fin, qu'y a-t-il au-delà? Lorsqu'en mer Esther observait le firmament, elle se sentait à la fois immense et minuscule, fascinée par ce paradoxe. Dans ce vaste univers, elle ne compte pour rien, cela porte à l'humilité et rassure aussi, puisque c'est le lot de chaque être humain. Quelle que soit l'importance que chacun s'attribue, les hommes ne font que voguer entre la vie et la mort, perdus dans un monde qui les dépasse. Les cieux sont bien sûr une preuve de la grandeur de Dieu, mais confirment également que tous les êtres sont égaux.

Trop occupée à se faire aimable et à éviter la controverse depuis qu'on a découvert sa supercherie, Esther en a oublié cette vérité subtile et profonde. Tout cela lui revient maintenant et, avec une perception d'une finesse quasi surnaturelle, lui fait sentir le poids de chaque flocon sur ses paupières, entendre chaque soupir de la neige sous son poids, saisir les innombrables teintes du bleu du ciel et les mille métamorphoses des nuages qui filent au-dessus d'elle à des hauteurs vertigineuses. Nul besoin d'être une Indienne pour vénérer la nature, elle lui appartient autant – et aussi peu – qu'aux indigènes.

— C'est toute une découverte, votre petite sauvageonne, fait remarquer madame Duplessis, qui observe avec un sourire rêveur le ravissement d'Esther.

— Je sais, mais je la plains. Comme Hocquart ne sait pas quoi faire d'elle, elle passe ses journées à lire toute seule dans sa bibliothèque. L'une de nous pourrait-elle la prendre chez elle? Vous devriez proposer à Hocquart d'en faire votre dame de compagnie, Madeleine. Vos yeux sont bien abîmés, elle pourrait vous faire la lecture.

— Vous croyez vraiment que Hocquart approuverait un tel projet? demande madame Duplessis.

— J'ai bien l'intention de faire en sorte qu'il accepte, dit madame Lévesque.

Esther revient vers la carriole et y grimpe, couverte de neige, heureuse comme elle ne l'a pas été depuis des mois. Elle remercie les deux dames de l'avoir emmenée voir cette merveille et avoue, un peu à contrecœur, que cela lui suffit pour aujourd'hui. Sur un claquement de rênes, elles repartent.

Esther n'a pas eu souvent l'occasion de se dépenser physiquement au cours de ses mois d'isolement et, le corps aussi épuisé que l'esprit, elle se laisse bercer au rythme de la carriole, au chaud sous les peaux d'ours. C'est à son tour d'avoir sommeil. Les deux dames papotent, parlent de leur santé et de leurs petits-enfants, demandent à Esther si elle est bien chez l'intendant, si elle est heureuse en Nouvelle-France, mais finissent par se taire. La neige impose le silence, étouffe le bruit du pas des chevaux et les grincements de la carriole, incite à baisser le ton comme on le ferait dans une église. À mesure qu'elles se rapprochent de la ville, les bruits quotidiens s'atténuent eux aussi, au point que l'aboiement subit d'un chien étonne autant que la vision d'un Indien qui passe, drapé dans sa couverture rouge.

La carriole ralentit puis s'arrête, les chevaux fatigués secouent la neige de leur crinière dans un tintement de grelots. Les voici devant la maison de l'intendant. Esther examine ce long bâtiment à deux étages où elle habite depuis plus de trois mois. À son arrivée, la maison lui avait paru spacieuse, élégante, mais après l'enchantement des chutes Montmorency, elle lui semble aussi lugubre qu'étouffante. Il est difficile d'oublier que c'est ici que sont édictées les lois qui gèrent la vie en Nouvelle-France, qui punissent ceux qui refusent de se soumettre au roi et à ses représentants. Jusqu'à présent, le fait d'être étrangère lui a permis d'y échapper, et personne ne sait trop comment appliquer les règles d'usage à son comportement excentrique. Mais plus son séjour se prolonge, plus il lui sera difficile d'éviter la prison.

Elle doit à tout prix élaborer un plan qui lui permettra de rester en Nouvelle-France sans avoir à abdiquer.

Comment ? Elle n'en a pour l'instant aucune idée et fait la première chose qui lui vient à l'esprit, elle bondit une fois de plus dans la neige.

— Un vrai petit chien fou à son premier hiver, dit madame Lévesque en donnant un coup du heurtoir de laiton en forme de fleur de lys sur la grande porte de chêne. Allez vite retirer vos vêtements mouillés pendant que nous discutons avec monsieur Hocquart.

Marie-Thérèse apparaît et les dames demandent à voir l'intendant. Elle les fait entrer dans un petit salon froid et humide pendant qu'Esther court dans l'entrée, semant des flaques derrière elle. Madame Duplessis s'installe dans un profond fauteuil orné d'une broderie au petit point, des nymphes vêtues de blanc vaporeux dansant entre des fontaines de marbre et des arbres couverts de citrons qui brillent comme de petits soleils – l'image d'un monde par-delà l'océan, un monde qu'elle n'a jamais eu l'occasion de connaître. Madame Lévesque cherche des coussins et un repose-pieds pour sa vieille amie, l'enveloppe dans une couverture de grosse laine et s'installe auprès du feu qu'elle attise, un tisonnier entre ses doigts gourds.

Hocquart les rejoint une demi-heure plus tard : quoique dérouté par leur demande, il n'ose renvoyer des dames aussi importantes. Il les trouve toutes les deux confortablement installées comme chez elles dans son petit salon, buvant le chocolat qu'Esther leur a préparé, croquant les délicieux biscuits de Marie-Thérèse.

Elles n'ont pas attendu que Hocquart leur offre l'hospitalité, elles se la sont arrogée et continuent à agir comme si c'étaient elles qui commandaient, elles renvoient les servantes et demandent à Hocquart de s'asseoir et d'écouter ce qu'elles ont à lui dire.

L'intendant se perche un peu contre son gré sur le bord d'une chaise de bois – du pin brut de fabrication locale – comme s'il allait bondir à la première occasion. Elles l'ont interrompu en plein travail et il n'apprécie guère, mais il écoute tout de même la proposition de madame Lévesque avec un intérêt grandissant. Ne serait-ce pas la meilleure solution pour toutes les parties ? La jeune fille serait prise en charge jusqu'à ce que les ordres arrivent au printemps, l'intendant cesserait d'être l'objet des railleries grossières et des spéculations de cette noblesse oisive, les conversations ne s'arrêteraient plus d'un coup lorsqu'il entrerait dans une pièce, Beauharnois n'oserait plus faire de blagues diffamatoires à ses dépens. Il rendrait service à madame Duplessis, et à lui-même du même coup.

Il accepte donc qu'Esther s'installe chez elle.

Marie-Thérèse en a le cœur brisé, elle s'imagine mal revenir à son ancienne solitude. Elle ose demander un délai : la jeune fille pourrait-elle rester encore un peu, peut-être jusqu'après Pâques et toutes ses célébrations ? Hocquart lui jette un regard sévère et ordonne à Esther d'aller faire son bagage et, surtout, d'être reconnaissante envers une bienfaitrice aussi généreuse. Marie-Thérèse l'accompagne à sa chambre, la serre très fort entre ses bras et murmure :

— Vous êtes la fille que je n'ai jamais eue.

Esther l'embrasse à son tour, ce qu'elle n'a jamais fait, et presse dans la main de Marie-Thérèse le mous-soir de bois qu'elle a apporté de France, seul objet de valeur qu'elle possède.

— Vous en aurez besoin pour préparer le chocolat de monsieur Hocquart, dit-elle entre le rire et les larmes.

Là-dessus, elle prend son sac et sort de chez l'inten-dant, en route vers une nouvelle vie.

NEUF

Aboltar cazal, aboltar mazal

Nouvelle demeure, nouveau destin

Madame Duplessis a passé ses jeunes années dans la seigneurie de son père à Sillery et son adolescence au couvent des Ursulines ; une fois mariée, elle s'est installée dans une grande demeure de pierre du chemin Saint-Louis, un hôtel de deux étages typique de la haute-ville, à la différence que celui-ci possède à l'arrière une vaste terre. À la mort de son mari, elle a cédé la maison principale à son fils aîné et à sa famille pour emménager dans un édifice adjacent, et depuis elle passe la majeure partie de son temps dans son vieux jardin. Elle aime beaucoup son petit manoir, tout ce dont elle a besoin se trouve au rez-de-chaussée : sa chambre, sa chapelle privée, la cuisine, la salle à manger et le salon. À l'étage se trouve le quartier des domestiques, pour l'instant à peu près vide depuis que la gouvernante n'y habite plus et que les gens chargés de l'équipage ont déménagé. La cuisinière y a sa propre chambre, où elle garde un gros chat qui passe la moitié de ses journées à somnoler auprès du poêle à bois. Une autre pièce est réservée à une jeune servante du nom de Claire, incroyablement timide. Est-ce qu'Esther voudrait bien partager sa chambre?

L'espace d'un instant, le débarras de chez Hocquart lui manque. Elle n'a pas l'habitude de tant de promiscuité et craint de livrer quelque secret dans un moment d'inattention. Mais dès qu'elle rencontre Claire, ses inquiétudes s'évanouissent : la jeune fille est si petite qu'elle n'occupe pour ainsi dire pas d'espace, elle a les yeux vairons et elle est tellement craintive qu'elle n'ose rien exiger d'Esther. Orpheline originaire de Dieppe, Claire a fait le voyage avec son frère Philippe, tous les deux s'étant engagés pour trois ans comme apprentis. Philippe, qu'elle idolâtre, a depuis déménagé aux Trois-Rivières avec son patron, il lui manque terriblement.

Il faut presque une semaine à Esther pour arriver à tirer d'elle un peu d'information, et une autre semaine avant que la pauvre fille ait l'audace de lui demander quelque chose en retour. Les histoires qu'elle a entendues sont-elles vraies? A-t-elle vraiment été élevée par des singes? Esther se contente de rire et répond que toutes les histoires révèlent un peu de celui qui les raconte. Claire demeure perplexe pendant quelques minutes avant de demander à Esther où elle a appris à parler français, à s'habiller, à manger avec des couverts, puisque les animaux, eux, ne font rien de tout cela.

Esther ne peut se résoudre à trop enjoliver ses récits pour quelqu'un d'aussi candide et répond que, plus tard, elle a été adoptée par une femme qui la maltraitait. Personne n'était donc gentil avec elle? demande Claire au bord des larmes. Oui, s'empresse de répondre Esther, un des fils de la dame, un garçon nommé Daniel, était son bon et fidèle ami, mais il est parti en mer et lui a tellement manqué qu'elle a décidé de se déguiser pour le suivre en Nouvelle-France, comme Claire a suivi son frère. Cependant, il semble bien que Daniel ne soit pas ici et, tout comme Claire, Esther est seule au monde.

À partir de ce jour, Claire lui est dévouée comme une sœur. Cette amitié n'est pas à sens unique : Esther a beaucoup à apprendre de cette fille de son âge, arrivée en Nouvelle-France deux ans plus tôt. Le plus important, dit Claire, c'est d'apprendre à patiner : le patinage est le sport préféré de tous, et elle le maîtrise maintenant parfaitement. Elles pourront aller patiner tous les dimanches après la messe, quand la ville entière sort sur le fleuve. Esther hésite, mais quand Claire lui procure une paire de lames, elle se laisse convaincre.

Sous un ciel très bleu, le fleuve scintille à en faire mal aux yeux, aussi froid et aussi indéchiffrable pour Esther que son nouveau pays. Les patineurs s'y risquent, d'abord craintifs et malhabiles, puis de plus en plus confiants à mesure qu'ils sentent la glace solide sous leurs pieds. Les bras ouverts pour conserver leur équilibre, ils allongent le pas, puis s'élancent en poussant des cris de joie. Certains forment de longues files et cherchent à faire lâcher le dernier de la queue. Des couples dansent au son de leur propre musique silencieuse, des enfants tombent, pleurent, se relèvent et tombent encore.

Au milieu de tout ce chahut, une grande religieuse très digne patine sans effort, les jambes cachées sous les larges plis de ses habits, balançant les bras d'avant en arrière dans ses grandes manches, avec la sérénité d'un immense oiseau de proie noir et blanc. Claire explique qu'il s'agit de mère Claude, la supérieure de l'Hôpital général. À côté d'elle, Esther est aussi maladroite qu'un oisillon tout juste tombé du nid. Elle ne retrouve pas son centre de gravité, ses membres pendent, inutiles, comme s'ils étaient coupés de sa colonne vertébrale, et à chaque inspiration, elle a l'impression d'avaler de minuscules éclats de verre. Pour la première fois depuis son arrivée, elle comprend pourquoi les gens d'ici craignent le froid. Ses os lui font sentir qu'elle pourrait en mourir, que le froid pourrait la tuer, simplement parce que les battements effrénés de son cœur et son souffle trop chaud viennent déranger l'architecture silencieuse de son corps. Parce que le sang est rouge et que le froid est blanc.

Déterminée malgré tout à tirer tout le profit possible de cette liberté éphémère, elle pousse énergiquement un pied puis l'autre, pousse et glisse, pousse et glisse, comme le lui a montré Claire, et, à son grand désarroi, se retrouve sur le dos sous le regard amusé de mère Claude. La religieuse lui tend la main et l'aide à se relever, se contente de sourire, hoche la tête et repart sur ses patins sans manquer de projeter sur Esther un nuage de glace.

Esther essaie encore quelques minutes sous les encouragements de Claire, mais elle abandonne vite, les pieds en feu, boitille jusqu'au bord du fleuve et se laisse tomber sur le tronc fendu en deux qui sert de banc. Les doigts gelés, elle retire ses lames, sur le point de pleurer tant ses orteils font mal. À quoi bon le martyre puisque le patinage existe déjà ? Comment des gens sensés peuvent-ils y prendre plaisir ? Autour d'elle, la fête continue en toute simplicité, haute en couleur comme les mitaines et les bonnets des enfants, comme les couvertures des quelques Hurons qui les observent en souriant de la rive.

En rentrant de cette première sortie, Esther avoue à madame Duplessis combien elle a été étonnée de voir patiner une religieuse. Elle a toujours cru que ces femmes étaient trop dignes et surtout trop imbues d'elles-mêmes pour s'adonner à des plaisirs aussi futiles, ce à quoi madame Duplessis répond que, étant donné son importance, mère Claude a le droit de faire ce qu'elle veut. Fille de l'ancien gouverneur de Montréal, la mère supérieure vient d'une famille de militaires aristocrates de qui elle a hérité sa forte constitution et son autorité. Comme sa sœur Louise, qui dirige une entreprise de coupe de bois, elle est réputée pour son sens des affaires, reconnue également pour son hospitalité et pour les fastueux banquets auxquels elle convie les notables dont elle espère s'attirer les bonnes grâces. Personne ne passe en ville sans venir lui offrir ses salutations distinguées, personne ne sort de chez elle mécontent ou le ventre creux. Esther se dit encore une fois qu'ici les femmes sont plus indépendantes que là-bas, elles peuvent accéder à de très hauts postes. Elle se réjouit que ses voyages l'aient conduite jusqu'ici, où elle peut avoir une confiance prudente en l'avenir.

De semaine en semaine, Esther se sent plus à l'aise sur ses patins, malgré ses ecchymoses. Une heure à voler en toute liberté sur le fleuve vaut bien le fait de s'ennuyer un peu à la messe du dimanche. Hocquart ne l'avait jamais obligée à assister aux offices religieux. Désormais, elle doit prier deux ou trois fois par jour dans la chapelle privée de madame Duplessis et assister avec elle tous les dimanches à la messe à l'église Notre-Dame-de-la-Paix. À la cathédrale où Marie-Thérèse l'a amenée quelques fois, elle observait les fidèles plutôt que d'écouter le curé. Elle passe maintenant plusieurs heures par jour à lire des livres de prières, se familiarise avec la liturgie et peut réciter les répons en latin comme les autres fidèles sans que cela ébranle beaucoup son scepticisme.

Le livre préféré de madame Duplessis la passionne : *La Vie de la vénérable mère Marie de l'Incarnation,* écrit par le fils de celle-ci, Claude Martin, sept cent cinquante-sept pages qu'elle lit à voix haute quand elle n'est pas interrompue par sa bienfaitrice qui veut prendre le temps d'analyser et de discuter certains passages. Madame Duplessis hoche la tête en signe d'approbation quand Marie avoue préférer la paix du monastère de Tours au « désordre » de sa vie familiale. Elle a pleuré amèrement, confie-t-elle à Esther, lorsqu'elle a dû faire son deuil du cloître. Plus tard, quand elle était jeune épouse et jeune mère, l'étude, la réflexion et la prière lui ont beaucoup manqué. Ce n'est qu'une fois veuve et âgée qu'elle a retrouvé sa tranquillité d'esprit.

Esther est émue aux larmes par une lettre de Marie à son fils, dans laquelle elle écrit que le fait de l'avoir abandonné pour suivre sa vocation religieuse a fait d'elle « la plus cruelle des mères ». Dans une autre lettre, elles lisent, touchées toutes les deux : « On n'y voit goutte, on marche à tâtons et quoiqu'on consulte des personnes éclairées et de bon conseil, pour l'ordinaire les choses n'arrivent point comme on les a prévues et consultées. On roule et lorsque l'on pénètre au fond d'un précipice, on se retrouve debout ».

Lorsqu'elles en ont terminé la lecture, Esther se permet de proposer son livre préféré, un roman écrit par un Anglais pieux, qu'elle a remarqué dans la bibliothèque de monsieur Hocquart. Madame Duplessis s'arrange aussitôt pour emprunter *Robinson Crusoé* à l'intendant, qui s'amuse du fait qu'Esther propose de lire un tel ouvrage à la vieille dame.

Comme Esther l'a prévu, madame Duplessis adore le livre malgré son penchant pour la vie des saints, tout particulièrement le passage où Crusoé sauve celui qu'il a baptisé Vendredi, et l'affection mutuelle qui se développe entre les deux hommes. À ses yeux, l'influence spirituelle du naufragé anglais sur son gentil sauvage ressemble à celle de Marie de l'Incarnation sur ses petites Indiennes, et tout protestant qu'il soit, Defoe sait reconnaître d'instinct l'importance d'accorder à Dieu une confiance absolue. Esther est plutôt fascinée par la débrouillardise dont fait preuve Crusoé, seul dans son île durant toutes ces années : il a construit deux maisons, fait pousser du maïs et du riz, apprivoisé des chèvres, appris à faire du fromage et du pain et à confectionner ses propres vêtements. Pour elle, il ne s'agit pas tant d'un homme foncièrement mauvais converti à la foi qu'un bel exemple d'une vérité illustrée par Jean de La Fontaine : « Aide-toi et le Ciel t'aidera. »

⌁

Pendant qu'Esther Brandeau et Madeleine Duplessis parcourent le monde grâce aux livres, la nature s'éveille. Dans les arbres du vieux jardin, les jeunes bourgeons explosent, une nouvelle vie apparaît à chaque instant, l'air frémit soudainement comme s'il avait gelé aussi dur que le fleuve, et portée par ce souffle de liberté, Esther court dehors admirer la verdure toute neuve.

Comment s'appelle ce buisson dont les branches sont restées d'un rouge vif tout l'hiver ? Et cette plante dont les fleurs jaunes apparaissent avant les feuilles ? Et ces minuscules fleurs blanches qui pointent entre les pierres à travers la neige ? Les fleurs ne sont-elles pas les mêmes ici qu'en France ? s'étonne-t-elle. Là-bas, elle n'a jamais vraiment porté attention à la végétation, les yeux toujours fixés sur l'horizon, trop désireuse de partir. Pour la première fois, d'aussi loin qu'elle se souvienne, elle est heureuse d'être là où elle est. Elle a une amie, Claire, et une généreuse bienfaitrice en madame Duplessis. Tout comme la nature, Esther s'éveille au printemps.

Un après-midi, alors qu'elles prennent le thé au jardin, madame Duplessis commence à chanter d'une voix douce :

Onn'awtewa d'ki n'on, wandaskwaentak
on-nah-wah-teh-wah do-kee non-ywah-ndah-skwa-en-
tak
Ennonchien skwatrihotat n'on, wandi, onrachatha
en-non-shyen skwah-tree-hotat non-ywa-ndee-yon-rah-
shahthah.

— C'est si beau, s'exclame Esther. Qu'est-ce que ça veut dire ?

— Ceci : *Courage, du Malin les ouvrages à jamais sont ruinés, à ses troublants appâts ne prêtez plus l'oreille.*

Et en se retournant vers Esther, elle ajoute :

— Je l'ai chanté pour vous, ma chère Esther. Je ne sais pas ce que le diable vous a fait par le passé, mais soyez assurée qu'ici, il ne peut rien contre vous.

Esther sourit. Elle finit par croire, elle aussi, qu'elle a enfin trouvé son port d'attache.

❧

Au cours d'une de ses visites, madame Lévesque demande à Esther de raconter un de ses voyages en pays étranger. Avec le temps, cela devient de plus en plus difficile, mais elle fait de son mieux pour faire plaisir à cette dame qui lui rend la vie si agréable et lui permet d'espérer. C'est la dernière histoire qu'elle est capable de raconter.

Comme vous le savez, j'ai passé plusieurs années en mer, d'abord en compagnie des marins espagnols, puis avec les Français. J'étais sans cesse obligée de me travestir à cause de la croyance qui interdit la présence des femmes à bord des navires. Convaincue à l'époque – et je le suis toujours – que les femmes sont capables d'exécuter n'importe quelle tâche sur un bateau, cela m'exaspérait, mais je continuai à m'habiller en garçon.

Vous vous rappelez, madame Lévesque, que le navire qui nous avait recueillis, mes camarades et moi, s'appelait le *Lys*. À cette époque, il était sous les ordres du chevalier Alphonse de Pontevez, ce célèbre explorateur français qui abandonna le navire à Bordeaux. Mon nouveau patron, monsieur Fourget, et moi-même profitâmes d'une permission de quelques semaines avec tout l'équipage pour nous procurer des vêtements neufs et des médicaments. Puis nous nous engageâmes sur ce même navire, pour livrer cette fois des fournitures militaires au port indien de Mahé et rapporter d'Orient des épices et des soies fabuleuses.

Toujours portée par le désir de voir du nouveau, j'étais ravie d'entreprendre un tel voyage. Nous longeâmes la côte africaine vers le sud et nous nous arrêtâmes à Saint-Louis-du-Fort pour refaire nos réserves d'eau douce et de vivres. Plusieurs commerçants français de Bordeaux qui s'étaient installés dans la ville et y avaient pris femme vinrent visiter le navire, espérant faire des affaires avec nous et s'enquérant des nouvelles de la mère patrie. Trois jours après notre arrivée, nous apprîmes qu'une délégation de grands et beaux Africains venus de l'arrière-pays cherchait à nous voir. Selon les dires de ces gens, un grand imam, un savant de la cité légendaire de Tombouctou, était gravement malade et, comme tous les guérisseurs de la région avaient échoué à le remettre sur pied, on avait décidé de recourir à la médecine européenne. Leur porte-parole supplia notre capitaine de les aider, lui promit le bonheur éternel dans cette vie comme dans l'autre s'il leur permettait de ramener avec eux de l'aide à Tombouctou. Il nous rappela qu'aucun Blanc n'avait jamais été invité à séjourner dans leur ville sacrée et nous récita ce proverbe qui, encore aujourd'hui, me fait frissonner chaque fois que j'y pense :

Le sel vient du Nord
L'or vient du Sud
L'argent vient du pays des Blancs
Mais ce n'est qu'à Tombouctou
Qu'on entend la parole de Dieu.

Cela n'émut pas notre capitaine. Il leur fit comprendre qu'il conservait sa petite réserve de médicaments pour le long et périlleux voyage qui nous attendait. La situation critique du saint homme le touchait et il souhaitait pouvoir l'aider, mais il devait avant tout veiller sur son équipage. L'Africain plaida sa cause de manière encore plus éloquente, et lorsqu'il s'aperçut qu'il parlait en vain, il commença à négocier. Il nous montra une formidable quantité d'or qu'il gardait caché sur lui. Quand le capitaine refusa quand même son offre, il se mit à nous maudire.

Je m'inquiétais pour notre sécurité, mais le capitaine nous ordonna de retourner à notre poste. Mes craintes étaient malheureusement fondées, car dès la nuit suivante notre navire fut assiégé par une troupe de ces mêmes Africains. D'ambassadeurs polis qu'ils étaient, ils s'étaient transformés en soldats belliqueux. Nos sentinelles étaient débordées et, sous peine de mort, elles furent forcées au silence pendant qu'elles conduisaient deux des envahisseurs vers la cabine que je partageais avec monsieur Fourget, responsable de l'infirmerie. Ils nous réveillèrent, nous forcèrent à emballer tous nos médicaments et nous poussèrent brutalement sur le quai, laissant derrière eux des hommes munis de torches qui menaçaient de mettre feu au navire si quiconque tentait de se lancer à notre poursuite.

Il peut sembler étrange que des marins aient aussi peur du feu, mais on a vu souvent des bateaux brûler en un rien de temps, même au milieu des flots. Nous suivîmes donc nos ravisseurs sans opposer de résistance. Quelques soldats français gisaient sur la rive, la gorge tranchée, et devant cette vision macabre nous décidâmes d'être dociles. Sous le couvert de la nuit, ils nous firent marcher à travers les prairies arides qui entouraient la ville, comptant sur le fait que pendant la saison sèche, quand sévissaient les tempêtes de sable, la poursuite s'avérait impossible. Même sous des milliers d'étoiles, l'obscurité était insondable. Au loin, j'entendis une toux ; j'apprendrais plus tard qu'elle est caractéristique des chameaux, ces étranges animaux qui nous attendaient. Et nous partîmes, nous éloignant de l'océan que nous connaissions bien pour aller vers une mer de sable dont nous ignorions tout.

Fourget et moi montâmes un unique chameau au milieu d'une caravane lourdement chargée d'hommes, d'armes, d'outres d'eau et de couvertures. Si nous n'avions pas été habitués au roulis et au tangage, nous aurions été incommodés par le balancement des chameaux, mais pour nous, c'était d'une certaine manière familier et réconfortant. La résistance de nos montures à la chaleur et à la poussière du désert m'impressionnait, et je me disais que chaque coin du monde est habité par des hommes et des animaux qui s'y sont adaptés. Les chameaux, par exemple, semblent bizarres, on dirait des chevaux bossus dessinés par des enfants, mais ils possèdent des yeux magnifiques et des cils si longs que les dames de Versailles pourraient les leur envier, qui protègent leurs yeux du sable soufflé par le vent. Leurs narines sont pourvues d'une membrane qui empêche le sable de pénétrer dans leurs poumons ; et, encore plus merveilleux, ces animaux peuvent emmagasiner dans leurs bosses des réserves suffisantes pour de longs voyages dans ces régions où il n'y a ni eau ni nourriture.

Nous en vînmes à souhaiter posséder de telles bosses. Pendant les premiers jours, nous allions en silence, impatients malgré nos craintes de voir Tombouctou. Tombouctou ! Terre mythique de richesses et de sagesse ancestrale où depuis des siècles aucun Européen n'avait mis les pieds. Il aurait fallu nous estimer heureux d'avoir été choisis pour vivre une telle aventure, et c'est ce que nous nous disions l'un l'autre pour garder le moral quand nous effleurait l'idée que nous n'arriverions peut-être pas vivants. Nous dormions le jour et voyagions dans la fraîcheur de la nuit. Parfois, nos ravisseurs discutaient entre eux, parfois ils chantaient, même, mais ils nous parlaient à peine, ils nous offraient à manger, nous ordonnaient d'enfourcher nos montures, d'en descendre, de nous coucher ou de nous lever, sans plus. Nous n'avions aucune idée de notre position géographique ni de notre direction, le nord ou l'est, plus loin, toujours plus loin dans le désert.

Vers la fin de la deuxième semaine, alors que nous dormions à l'ombre d'un maigre acacia – arbre dont on extrait la gomme arabique qui fait la fortune de ce pays –, une tempête de sable se leva si rapidement que nos ravisseurs n'eurent pas le temps de nous attacher, et si violente qu'on n'y vit plus rien. Fourget profita de la confusion pour tenter l'évasion. Il m'attrapa par la main et me tira dans la direction qu'il croyait être la bonne. Mais tant que la tempête ne s'était pas calmée, il était impossible d'avoir la moindre idée de notre position. Quand le calme revint, nous étions consternés, complètement perdus, assoiffés, épuisés, et en bien plus mauvaise posture qu'auparavant, seuls et sans monture, sans provisions, sans couvertures.

Après avoir tenté vainement de nous orienter sur cette terre désertique et plate à l'infini, nous décidâmes de chercher un abri et d'économiser nos forces jusqu'à la nuit. Nous rampâmes sous une corniche en saillie et tentâmes de nous y reposer. Du sable dans les yeux et plein les narines, dans chaque repli des doigts et sous chacun de nos ongles, nous avions la bouche si sèche que nous n'avions même plus de salive et pas d'autres larmes que celles de nos cœurs.

Le destin m'avait sauvée de la mort sur une île – qualifiée de *déserte* bien à tort – pour m'abandonner maintenant au milieu d'un vrai désert. Résignée, amère, je sombrais par moments dans le délire, j'arrivais mal à me rappeler qui j'étais et où j'étais. Après combien de temps, je ne saurais le dire, j'entendis un faible tintement de clochettes et cette toux propre aux chameaux. J'en déduisis que nos ravisseurs nous avaient rattrapés et je remerciai le Ciel d'être encore en vie, même si j'étais condamnée à la captivité. Je me forçai à ouvrir mes pauvres yeux et j'aperçus une caravane dont les chameaux semblaient plus frais que ceux qui avaient été les nôtres, tous joliment décorés d'argent et de rouge, et sur le dos de chacun, un ballot de tissu d'un bleu éclatant.

Je crus d'abord à une hallucination, mais à mesure que les chameaux approchaient, j'arrivai à distinguer une forme humaine chevauchant chaque animal : une élégante main brune ici, un pied nu plus loin, et plusieurs paires d'yeux, ni aimables ni hostiles, mais les regards de gens simplement curieux vêtus de robes et de turbans bleus qui nous fixaient à travers des voiles bleus. Convaincue que des voyageurs ainsi voilés ne pouvaient être que des bandits, je secouai légèrement monsieur

Fourget, j'avais trop peur d'affronter toute seule ce nouveau danger. Fourget était inconscient, il respirait mal, mais j'arrivai à le sortir de sa torpeur. Il pouvait à peine bouger, mais quand j'eus réussi à le faire asseoir, il leva une main faible en signe de bienvenue envers ces étranges personnes rassemblées devant nous. Lorsque le cavalier de tête leva la main à son tour dans un geste courtois, je sus que nous étions tirés d'affaire.

Nos sauveteurs étaient les hommes bleus du désert, les Touaregs, « le Peuple noble », que les Arabes appellent « ceux que Dieu a abandonnés ». Leurs vêtements sont parfaitement adaptés à leur environnement : comme les chameaux, ils doivent se protéger du vent et du sable, garder le nez et la bouche cachés en tout temps même s'il ne vente pas. Cette coutume ne touche que les hommes qui parcourent de longues distances sur les chemins des caravanes. Les femmes restent à la maison, vivent à visage découvert et ne se voilent qu'après le mariage.

Ces gens inspirent la crainte, féroces guerriers qui pillent les châteaux et réduisent leurs ennemis en esclavage. Ils auraient d'ailleurs pu faire de nous leurs esclaves, mais cela ne leur vint pas à l'esprit, nous étions trop étranges à leurs yeux. Avec notre peau pâle et notre langage bizarre, nous ne leur aurions été d'aucune utilité, surtout dans l'état où nous étions. Beaucoup plus âgé que moi et déjà très maigre avant cette épreuve, monsieur Fourget ne survécut pas, il mourut peu de temps après, incapable d'avaler ne serait-ce qu'une gorgée d'eau même dans les affres de la fièvre. Nous creusâmes pour lui une tombe dans cette immensité où seulement les bêtes sauvages viendraient flairer ses pauvres os.

Malgré le chagrin qui m'affligeait, mes yeux étaient encore trop secs pour verser quelques larmes quand je priai pour le salut de son âme. Trop malade, trop effrayée par mes nouveaux ravisseurs, je ne pouvais me rappeler combien de temps il nous avait fallu avant d'arriver à leur village. Nous parvînmes enfin à une oasis entourée de dattiers. Autour des tentes plantées en cercle, des chèvres broutaient et des poulets picoraient; des enfants coururent vers nous et s'arrêtèrent, intimidés et peut-être même effrayés à ma vue. Le chef de la caravane, un homme taciturne nommé Az'ar, me porta dans une tente où sa femme prit tout de suite soin de moi. C'était une personne rondelette répondant au nom de Faghizza, elle portait une robe aux couleurs vives, des boucles d'oreilles et des colliers d'argent. Au début, elle me faisait peur, mais je m'aperçus vite qu'elle était aussi charmante qu'aimable et je laissai tomber mes défenses.

Elle retira mes vêtements sales et me lava aussi tendrement que si j'avais été sa fille. C'est là que je laissai enfin couler mes larmes si longtemps refoulées. Sa sœur aveugle vint bientôt nous rejoindre sous la tente et chanta d'une voix magnifique le chant le plus doux que j'eusse jamais entendu. Je n'en compris pas les paroles, mais on me dit plus tard qu'on le chantait pour éloigner les mauvais esprits. Avec leur musique et tout leur amour, ces gens m'accueillirent, comme une nouvelle famille.

— Ça ne va pas? demande madame Duplessis, inquiète.

Esther est sur le point de pleurer.

— Ce n'est rien, répond-elle d'une voix étranglée. Je pensais seulement à la gentillesse des femmes… comme vous.

— Prenez encore un peu de thé, suggère madame Lévesque.

— Merci, dit Esther, reconnaissante.

Les deux dames attendent un moment qu'elle vide sa tasse et se remette. Mais elle n'a pas le temps de reprendre le fil de son histoire que Claire surgit dans la pièce, affolée.

— Monsieur Varin demande à voir mademoiselle Esther, en mission officielle et sous l'ordre du roi. Elle doit l'accompagner immédiatement. Il est là avec des soldats!

Esther pâlit. De peur qu'elle s'évanouisse, madame Lévesque passe un bras autour de ses épaules.

— Soyez courageuse comme vous savez l'être, chère enfant, dit-elle.

Madame Duplessis l'embrasse sur les deux joues et dit simplement:

— Que Dieu continue à vous protéger.

Là-dessus, Esther quitte pour toujours sa deuxième maison de Québec.

DIX

La mejor elocuencia,
la vedra

La vérité
est la plus belle éloquence

Durant le trajet jusque chez Hocquart, deux soldats les escortent, le premier s'est hissé à côté du conducteur tandis que l'autre est cramponné à l'arrière du coche. Déconcertée, Esther s'étonne de leur présence. Varin ne lui donne aucune explication, il se contente de regarder par la fenêtre, les jambes en retrait pour éviter d'effleurer sa jupe. Lorsqu'ils arrivent chez l'intendant, il ne lui tend pas la main, geste qu'il aurait pourtant à l'égard de toute autre femme, il la laisse se débrouiller et lui fait signe de le suivre derrière le bâtiment, là où se trouve la prison.

Esther n'y est jamais venue, elle a évité l'endroit durant tout l'automne qu'elle a passé chez Hocquart. L'intendant lui rappelait à l'occasion que c'est là qu'elle aurait dû être enfermée au lieu de courir dans la maison en toute liberté, mais elle ne l'avait jamais vraiment pris au sérieux. La bonté de Hocquart était trop évidente, et vivre chez madame Duplessis lui avait permis de se sentir en sécurité. Comme elle a été folle de tenir cela pour acquis ! Varin a découvert qui elle est, et cette fois, elle sera sévèrement punie.

La porte n'est pas sitôt refermée qu'il fait s'avancer Esther devant le bureau où est assis Hocquart, le visage impénétrable. Elle ne l'a pas vu depuis quatre mois, et elle ne peut toujours pas l'imaginer en véritable ennemi.

Varin fait tout un théâtre en ouvrant la lettre arrivée de France, il s'éclaircit la voix.

— Voilà, ma fille, dit-il, il est temps de rentrer à la maison. Votre famille s'inquiète de vous.

— De quelle famille parlez-vous, monsieur Varin ? demande Esther.

Son cœur bat si fort qu'elle est sûre qu'il l'entend. Se peut-il que cet homme soit le même que celui qui tentait de la charmer, qui la flattait, qui a essayé de la séduire lors de son arrivée ? Sur son visage, elle ne lit que le dégoût.

— Celle de David Brandeau, marchand juif de Bayonne, crache-t-il comme si le seul mot de *juif* lui arrachait la bouche.

Dégoûté, Hocquart l'est lui aussi, mais toutefois captivé.

Les seuls Juifs avec qui il ait négocié sont les membres de la famille Gradis, d'importants commerçants dont les services sont essentiels au transport des marchandises de la colonie. Ils vivent dans la région de Bordeaux, qui était sous occupation anglaise à l'époque où la France a expulsé les Juifs, et qui est de ce fait la seule région où ce peuple a pu demeurer. C'est une famille très puissante, Abraham Gradis a été reçu à la cour, le roi compte sur ses connaissances et sur sa fortune pour accroître l'empire de France. Gradis est un homme cultivé, quoiqu'ambitieux et avide, comme tous ceux de sa race.

Toute sa vie, Hocquart a entendu des horreurs sur le compte des Juifs, des sacrifices humains aux messes noires trop terribles à imaginer. Même si tout cela n'est que folklore, cette souillure s'attache à quiconque est soupçonné d'être Juif, y compris les convertis et les enfants des convertis. Pire, le Code noir interdit formellement l'immigration des Juifs en Nouvelle-France. Hocquart a déjà demandé à Esther si elle était protestante, mais il ne lui était alors pas venu à l'esprit qu'elle pût être Juive. Il se sent ridicule d'avoir négligé autant d'indices : ses aversions culinaires, son goût démesuré pour la lecture, son dédain pour la messe et, quand Marie-Thérèse l'y emmenait, son refus de se confesser, sans parler de son étrange accent, de l'intuition qu'il avait qu'elle cachait un terrible secret, de ses traits prématurément marqués par la tension à force d'avoir sans cesse à rester vigilante.

Il observe ce visage basané qu'il connaît trop bien. Rien de pervers dans son regard, rien d'autre que la peur. Le dessin de lèvres bien ourlées a malgré tout quelque chose de moqueur et laisse croire que, même dans un moment aussi difficile, elle refuse de prendre les choses au sérieux. Elle a beau être étrange et pas féminine pour deux sous, menteuse et manipulatrice, il sait au fond de son cœur qu'elle n'est pas méchante. Au contraire, et d'une manière toute particulière, Esther a été son amie.

Hocquart sent monter en lui une vague de tendresse dont il n'a pas l'habitude. Lorsque Esther Brandeau habitait chez lui, sa vie – même compliquée – le comblait davantage. Inspiré par ses récits évoquant des terres lointaines, il a caressé l'idée de solliciter un nouveau poste : les Indes, orientales et occidentales, l'Afrique, les îles du Pacifique. Il est encore assez jeune pour voyager, pourquoi passerait-il toute sa vie ici à se quereller avec Beauharnois ? Esther lui a rappelé combien le monde est vaste et combien peu il en connaît. Même après s'être refusé le plaisir d'écouter ses histoires, il aimait la voir dans la bibliothèque, perdue dans ses pensées, les jambes ramassées sous sa jupe comme une petite fille, ravie. Parfois, il prenait le livre qu'elle avait abandonné en l'entendant rentrer à la tombée du jour, il cherchait à découvrir les pages qui l'avaient passionnée, et c'est sa voix, douce, palpitante, qu'il entendait dans sa tête lorsqu'il lisait, c'est sa voix qui rendait le monde si attirant, si riche d'espoirs.

Quelle que soit la situation qu'elle avait fuie, cela avait dû être terrible. Sachant maintenant qu'elle est Juive, Hocquart n'en est que plus convaincu. Son instinct protecteur passe encore par-dessus tout. Il va faire tout en son pouvoir jusqu'à ce que soit connue la vérité sur ce David Brandeau. Il existe sûrement plus d'une famille Brandeau en France, et mille raisons parfaitement valables pour qu'un représentant de l'État puisse contester ce nouveau rapport, et il compte bien toutes les invoquer.

Mais il sait qu'il se leurre, Varin aime trop faire courir les rumeurs, et si ce n'est déjà fait – le contraire serait étonnant –, il clamera à tout venant qu'Esther Brandeau, cette fille arrivée en Nouvelle-France travestie en garçon, est aussi une sale Juive. La réputation de Hocquart sera compromise dans toute la colonie. Quelle belle victoire pour Beauharnois ! Il pose le regard sur les cheveux châtains du jeune homme, qui les porte longs et retenus derrière par un ruban de velours noir, et se demande comment il réussit à les garder aussi sains. Ceux de Hocquart grisonnent depuis longtemps, clairsemés sous sa perruque blanche qui lui pique le crâne. Il n'a jamais été ni beau ni riche, et maintenant qu'il est vieux, il ne lui reste que son poste d'intendant. Hocquart prend la parole, espérant qu'il saura trouver les mots justes.

— En quoi peut-on se fier à ce rapport ?

— Il est signé et certifié.

— Et qu'en est-il de l'homme ? A-t-il bonne réputation ?

— Je ne sais rien de lui, je dois l'admettre, monsieur Hocquart. Mais pourquoi quelqu'un mentirait-il à propos de la disparition de sa fille ?

— J'y vois plusieurs raisons. Il pourrait avoir supprimé sa vraie fille et tenter de camoufler le meurtre. Il pourrait aussi vouloir une domestique qu'il n'aurait pas à payer.

— Il est clair que votre imagination s'est développée à l'instar de celle de cette fille, raille Varin.

— Je tiens seulement à ce que justice soit faite, monsieur Varin. Vous feriez bien de ne pas l'oublier. Des rumeurs funestes circulent dans la ville à propos de vos propres affaires.

Varin reste déconcerté. Il a toujours considéré Hocquart comme un administrateur sans éclat, quelqu'un que l'on tolère, mais que l'on ne craint pas. Ils sont arrivés ici ensemble à bord de l'*Éléphant*, ce navire marqué par le mauvais sort, et c'est souvent grâce à l'appui de Hocquart qu'il a été promu. Toutefois, s'il doit se ranger du côté de quelqu'un, ce sera du côté du marquis de La Boische, un allié plus imposant, un ennemi plus redoutable. Que ses flatteries envers Beauharnois puissent lui mettre à dos l'intendant ne lui est jamais venu à l'esprit, ni que ce dernier eût le pouvoir de lui nuire.

— Je me soucie seulement de la réputation de votre administration, monsieur Hocquart.

— Comme nous tous, monsieur Varin, réplique Hocquart. Nous allons donc prendre un peu plus de temps pour étudier ces nouvelles allégations. Il sera toujours temps de renvoyer Esther à Bayonne, si c'est bien de là qu'elle vient, avant que le port ne soit de nouveau pris dans les glaces.

— Que comptez-vous faire d'elle entre-temps ?

Hocquart ne sait que répondre. Malgré ses devoirs de magistrat et le nombre de criminels qu'il a jetés en prison pour des offenses moins graves que celle que l'on reproche à Esther Brandeau, jamais il ne s'est senti plus responsable du sort de quelqu'un que de celui de la jeune fille. La solution lui apparaît tout à coup tellement évidente qu'il s'étonne de ne pas y avoir pensé avant.

— Elle ira chez les Ursulines, répond-il, sûr de lui et soulagé. Après tout, ramener les brebis égarées au sein de l'Église fait partie de leur mission.

Pendant cet échange, Esther est restée silencieuse, tête baissée, sans rien à dire pour sa défense : les Juifs sont interdits de séjour en Nouvelle-France, et elle n'a plus le courage de nier ses origines. Quelle qu'en soit la raison, si monsieur Hocquart est prêt à lui donner une nouvelle chance, elle la prendra.

Mais ce qui l'attend la terrifie. Toute sa vie, elle a été menacée par l'Inquisition, et voilà que le piège se referme. On n'échappe pas au destin, et sa fuite n'aura été qu'un autre moyen de courir au-devant de son sort. N'était-ce pas ce qu'écrivait Sophocle à propos d'Œdipe ? Elle se rappelle ses frères aînés qui discutaient à propos de la rivalité entre la volonté de l'homme et celle des dieux chez les philosophes grecs. Aucune philosophie ne peut plus la sauver, et aucune des histoires impossibles qu'elle aimait inventer ne saurait modifier une décision de l'administration. Se taire et espérer, voilà tout ce qu'elle peut faire.

∽

Lorsqu'elle avait vu pour la première fois Marie-Charlotte de Ramezay, dite de Saint-Claude de la Croix, patiner avec une grâce nonchalante sur le fleuve glacé,

Esther en avait été ravie, émerveillée que dans ce pays une femme occupant un poste important impose l'autorité et le respect. Ses lectures sur Marie de l'Incarnation lui avaient prouvé qu'elle avait pris la bonne décision en choisissant la Nouvelle-France comme point de départ de sa nouvelle vie. S'il était possible que des femmes se montrent fortes, aussi indépendantes, elle y arriverait à son tour. Elle avait réussi à dompter la terreur qu'elle éprouvait depuis l'enfance à l'égard des religieuses et les considérait comme de possibles modèles, sortes d'amazones de la pensée parcourant des régions interdites aux femmes et osant braver les tabous.

Mais aujourd'hui, dans le réfectoire du couvent, quand elle prend une cuillerée d'une soupe aux pois trop claire, ses rêves de vivre au sein d'une tribu de grands et savants guerriers s'évanouissent d'un coup. Pire que d'avoir à manger cette maigre pitance, les religieuses sont tenues au silence le plus complet, uniquement rompu par la lecture des textes sacrés débités par une vieille nonne qui compense sa surdité en criant d'une voix cassée et monotone. L'écouter tient du supplice, mais personne n'a le droit de quitter la pièce avant la fin de la lecture, même pas celles qui ont des tâches à accomplir.

Esther, elle, n'a rien à faire. Depuis quatre jours qui s'éternisent, elle attend qu'on lui dise où aller et à quoi s'occuper. Elle n'est même pas certaine d'avoir le droit d'aller se promener à l'intérieur du couvent, ce qui ne l'empêche pas de jeter un coup d'œil partout dès qu'elle le peut. Vaste bâtiment de pierre à trois étages, le cou-

vent possède plusieurs dépendances, un village miniature réservé aux femmes. Le troisième étage consiste en
une série de cellules identiques à la sienne, les résidantes
de longue date n'ont droit à rien de plus que les novices.
Au dernier étage, la lessive sèche dans un grenier bas de
plafond. Par contraste, l'étage principal comprend
de vastes salles bourdonnantes d'activité. Dans l'une,
un groupe de religieuses brodent des motifs floraux au
fil d'or et au fil d'argent sur des surplis et sur des étoffes
qui décoreront l'église. Dans une autre, des novices
reçoivent l'enseignement religieux. Ailleurs, de jeunes
nonnes s'occupent tendrement de quelques sœurs
âgées. Au rez-de-chaussée, la boulangerie, les cuisines,
les entrepôts de toutes sortes où les domestiques travaillent dur.

Esther se plaît au réfectoire, non parce qu'on y
mange bien – tout est mauvais! –, mais parce que,
contrairement à sa cellule, la pièce est chauffée. Elle a
beau laisser la porte ouverte en espérant que lui parviendra la chaleur du poêle dans le corridor, sa cellule
reste glaciale. Elle passe donc une grande partie de son
temps couchée, blottie sous les couvertures. À côté de
son lit garni de draps de qualité et d'un épais couvre-lit,
un bureau de pin et deux chaises droites. Comme seul
ornement un crucifix accroché au mur, et comme seule
distraction un livre, *La Vie des saints,* illustré de gravures
qui dépeignent en noir et blanc d'ingénieuses formes de
martyre. Depuis qu'elle sait lire, Esther a toujours
trouvé refuge dans la lecture, et, faute d'autres livres, elle
se plonge dans celui-ci.

Elle cherche d'abord la vie de sainte Ursule pour en apprendre plus sur la martyre préférée de madame Duplessis et l'une des saintes auxquelles est consacré le couvent. Comme elle, Ursule préfère la lecture et les voyages aux travaux réservés aux femmes. Malgré ces ressemblances, l'exemple d'Ursule est loin d'être encourageant : elle a été torturée à mort pour avoir refusé de se marier et d'abjurer.

Elle feuillette le livre à la recherche d'un saint dont le sort serait moins terrible, mais vogue d'horreur en horreur au fil des pages. Faut-il voir là une forme de sarcasme de la part des religieuses ? Tout ce qui a forgé ses cauchemars d'enfant y est, les donjons infestés de rats, les charbons ardents, la peau arrachée à coups de tenailles, l'estrapade, le chevalet, les bûchers où se tordent les corps. Dans toutes ces images, les mêmes scènes qui ont fait fuir son peuple d'Espagne et du Portugal et l'ont forcé à se disperser aux quatre coins du monde. On le voit bien, l'Inquisition s'est inspirée des méthodes de la Rome antique, et ce qui a été infligé aux chrétiens, les chrétiens l'infligent aujourd'hui aux Juifs.

Et elle s'est livrée à eux.

Elle aurait mieux fait de rester chez elle, à la maison, elle aurait eu une vie misérable, mais au moins elle n'aurait rien eu à craindre. Les Juifs de Bayonne détiennent des lettres patentes signées de la main du roi : ils ont le droit de vivre en paix, tolérés bien que méprisés, taxés injustement, mais libres de corps et d'esprit. C'est un endroit vivant, avec quantité de boutiques, de commerces et de chocolateries. La température y est agréable et la cuisine toujours excellente, les fruits et les légumes abondent, plus variés qu'à Québec, où la saison des cultures est bien courte. En songeant au confort relatif qu'elle avait en France, Esther sombre dans le désespoir. Ses nuits sont perturbées par des rêves macabres et ses journées s'étirent dans la solitude la plus totale.

Si au moins elle avait autre chose à lire, un récit de voyage, un roman plein de magie et d'aventures ou encore un recueil de poèmes d'amour, elle pourrait se perdre dans l'histoire de quelqu'un d'autre et faire ainsi taire les terribles voix qui la hantent, des voix qui lui rappellent tout ce qui lui est interdit, des voix qui lui disent qu'elle ne vaut rien, que l'on ne veut pas d'elle, un chœur de voix railleuses qui lui répètent que peu importe si personne ne sait où elle est puisque personne ne se soucie de son sort. Esther pense devenir folle lorsqu'une petite novice d'à peine seize ans, son joli visage mangé par les boutons, vient la chercher pour la mener au bureau de mère Claude. La petite tremble, nerveuse, elle n'a pas l'habitude d'une telle responsabilité, et murmure à Esther qu'elle doit être polie et ne parler que si on l'y autorise.

— Mais vous me parlez bien à moi, non ? réplique-t-elle.

Trop surprise qu'on lui adresse la parole, la novice rougit comme une pivoine et détale, laissant Esther attendre toute seule une bonne demi-heure devant la porte de la supérieure. Ce retard est sûrement destiné à faire monter sa peur et, si c'est le cas, c'est réussi. Esther fait les cent pas, tente de prier de son mieux dans l'espoir que sa prière sera entendue. Mais même dans ce couvent où règne une ferveur authentique, elle doute qu'une divinité assez puissante pour avoir créé le monde daigne s'intéresser au sort d'un seul individu. Dieu n'a sauvé ni ces martyrs chrétiens ni ceux de son peuple à qui on a infligé le même sort. Pourquoi donc lui viendrait-il à l'idée de sauver quelqu'un d'aussi insignifiant qu'Esther Brandeau ?

Ce qui l'attend, c'est une vie de réclusion ou une mort douloureuse. Sainte Ursule a été transpercée par une flèche alors que ses onze mille compagnes étaient décapitées. Saint Laurent, en l'honneur de qui on a baptisé le grand fleuve de ce pays, a été brûlé sur le gril.

Esther se demande laquelle de ces deux possibilités lui sourit davantage quand la porte s'ouvre dans un sinistre grincement, et on l'invite à se présenter devant la supérieure.

— Vous m'appellerez « mère Claude », dit la religieuse, dont le manque de beauté est tristement souligné par la cornette blanche amidonnée.

Mais sous le front large, des yeux noisette brillent d'intelligence et ne montrent aucun signe d'aversion. Esther sent un grand soulagement l'envahir. Après tout, elle n'est peut-être pas destinée au martyre, mais elle est bien décidée à rester aux aguets au cas où le sourire aimable de cette femme cacherait des crocs acérés qui la broieraient d'un coup.

— Il est un peu étrange que les religieuses s'appellent « mères » alors qu'elles ont fait le vœu de ne pas avoir d'enfants.

— On m'a fait part de votre impertinence, réplique brusquement la religieuse.

— Je ne voulais pas être insolente, mère Claude. Souvent, les gens me trouvent impolie alors que je ne fais que remarquer un certain état de choses.

— Ne prétendez pas pouvoir comprendre le sens de tout ce que vous voyez, Esther.

— En effet, je comprends très peu de tout ce que je vois en ce monde, répond Esther d'un ton las.

Croyant la jeune fille effrayée malgré son air crâneur, la supérieure avait décidé d'attendre qu'elle se soit faite à la routine du couvent avant de l'affronter. Elle sait depuis longtemps comment apprivoiser les sauvagesses récalcitrantes. Pourquoi aurait-elle plus de difficulté avec une Française, et même avec une Juive française ? Il est vrai qu'elle n'a jamais rencontré de Juifs avant ce jour, mais malgré sa malheureuse ascendance, cette enfant est sans aucun doute plus rationnelle qu'une Indienne, et par conséquent plus facile à convaincre. Et puis, madame Duplessis, pleine de bon sens, a parlé d'elle avec une grande tendresse.

Elle renvoie Esther avec quelques textes à étudier, elle la reverra dans une semaine pour discuter de ce qu'elle doit faire pour prouver qu'elle est digne d'être accueillie au sein de l'Église.

Privée de littérature, de conversations et de tendresse, tout ce à quoi elle s'était habituée chez madame Duplessis, Esther se laisse aller à la mélancolie. La vie au couvent est monotone et ne présente que peu d'intérêt. Les religieuses se lèvent tôt pour prier, et s'occupent à éduquer les Indiens, à convertir les vieux et les malades, la laissant seule dans sa cellule à étudier quand elle n'est pas appelée pour la messe. Malgré toutes les heures qu'elle consacre aux travaux communautaires, elle se sent plus isolée dans une maison pleine de filles de son âge – qui, pour la plupart, ont peur d'elle ou la méprisent, ou les deux – qu'elle ne l'a été sur le *Saint-Michel* avec un équipage de marins faits pour l'aventure.

C'est donc avec impatience qu'elle attend la séance d'étude hebdomadaire avec mère Claude. Avec la supérieure, elle peut avoir de vrais échanges et se faire parler comme à quelqu'un d'intelligent et non simplement comme à une pécheresse, avoir la permission de poser des questions plutôt que d'être obligée de se repentir. La vieille religieuse est différente de tous ceux qu'Esther a connus ici. Ce que représente Esther ne la menace en rien puisqu'elle a elle-même refusé le rôle de mère et de femme soumise. À sa manière, elle est parvenue à obtenir autant de responsabilités que Hocquart et autant d'influence que Beauharnois, sans avoir à connaître les humiliations de l'un ou la vie dangereuse de l'autre. Varin lui-même ne serait pas assez fou pour tenter de l'amadouer ou de la remettre à sa place.

En ce sens, Varin est plus fin qu'Esther, qui ose remettre en question les convictions religieuses de la supérieure avec ses histoires de pays lointains et de divinités étranges. Cependant, aussi pétrie qu'elle soit de mythes et de symboles, mère Claude demeure imperméable au charme des récits d'Esther, et malgré sa vivacité intellectuelle, elle éprouve bien peu de curiosité pour ce qui se passe en-dehors de la Nouvelle-France. Pour elle, il y a assez à faire ici, rêver d'ailleurs est pure perte de temps, sinon péché.

Inversement, mère Claude met au défi le caractère récalcitrant d'Esther, l'oblige à connaître par cœur le *Credo*, le *Notre Père* et le *Je vous salue Marie* pour qu'elle puisse méditer sur les Mystères joyeux, douloureux et glorieux en récitant le chapelet. Elle a appris ces prières chez madame Duplessis et les récite sans conviction, comme une liste de courses à faire au marché plutôt que comme les principes fondamentaux d'une religion.

Je crois en Dieu le Père tout puissant
Créateur du Ciel et de la Terre
Et en Jésus-Christ, Son Fils unique, Notre-Seigneur
Qui a été conçu par l'opération du Saint-Esprit
Est né de la Vierge Marie
A souffert sous Ponce Pilate
A été crucifié, est mort et a été enterré
Est descendu aux Enfers
Le troisième jour est ressuscité d'entre les morts
Est monté aux cieux
Où il est assis à la droite du Père
D'où il reviendra juger les vivants et les morts
Je crois en l'Esprit-Saint, en l'Église catholique

En la communion des saints
Au pardon des péchés
À la résurrection des morts
Et à la vie éternelle
Ainsi soit-il.

Son ton irrite la religieuse qui ne démord pas du fait que la conversion est la meilleure voie que pourrait emprunter Esther – et d'ailleurs, la seule.

— Il m'apparaît clair que vous reniez votre propre foi puisque vous l'avez fuie, lâche-t-elle un jour, déçue. Pourquoi résistez-vous si fortement à l'idée d'une seule et véritable Église?

— Je n'ai pas renié ma foi, mère, s'objecte Esther. J'ai renié les restrictions que la foi m'imposait.

— Pouvez-vous m'expliquer la différence?

— Si vous me laissez vous raconter une histoire.

— Je vous l'ai déjà dit, je ne suis pas intéressée par vos histoires à moins qu'elles soient vraies.

— Celle-ci l'est.

— Allez-y donc.

Esther commence, mais sans fermer les yeux cette fois, et soutient sans broncher le regard franc de la religieuse.

⌁

J'ai grandi à Saint-Esprit, un faubourg de Bayonne, parmi une communauté de Juifs portugais. Vous ne connaissez peut-être pas cette région, mère Claude, la région de Bordeaux d'où proviennent les meilleurs vins. On nous y tolère parce que nous sommes utiles au roi. En tant que réfugiés de l'Inquisition, nous sommes à même de faciliter le commerce maritime vers le sud puisque nous parlons les langues ibériques. Mon père possédait un entrepôt, il s'est enrichi grâce au commerce sur l'Atlantique. C'était un homme actif et prospère et, par conséquent, capable de payer les lourds impôts que le roi était ravi de lui imposer, comme à tous les Juifs, d'ailleurs.

Comme c'est l'usage chez nous, j'ai reçu une bonne éducation, j'ai appris très jeune à lire et à écrire. Mais malgré tout ce que j'apprenais, je n'avais d'autre perspective que d'élever une famille. D'ailleurs, il y a un proverbe chez nous qui dit : « *La ija del Djudio, no keda sin kazar* », ce qui signifie : « Aucune fille née d'un Juif ne doit rester célibataire. » Les religieuses n'existent pas dans nos traditions, mère Claude, nous, les femmes, sommes obligées d'obéir au commandement qui dit : « Croissez et multipliez-vous. »

Conformément à cette obligation, mes parents décidèrent de m'envoyer à Amsterdam, où la sœur de ma belle-mère avait déjà arrangé mon mariage avec un veuf dont la plupart des enfants étaient plus âgés que moi. J'eus beau pleurer et hurler, je n'eus pas d'autre choix que de partir, puisque je suis une fille et donc sans aucune emprise sur ma propre vie.

J'embarquai à bord d'un navire hollandais dont le capitaine portait le nom de Geoffroy. Nous n'avions pas sitôt quitté le port qu'une tempête se leva et nous jeta dans les hauts-fonds de Bayonne. Je ne savais rien du sort des autres passagers, mais je fus sauvée de la noyade et ramenée sur le rivage par un marin qui m'installa à Biarritz chez une veuve du nom de Catherine Churiau. J'habitai chez elle pendant quinze jours et je me remis de mes blessures. Quand je confiai à cette gentille dame que je n'osais pas rentrer chez moi parce que j'allais être mariée contre mon gré, elle me prêta les vêtements de son fils, et c'est habillée en garçon et sous le nom de Pierre Mausiette – Pierre parce que c'est un nom chrétien solide comme le roc, si vous voulez bien excuser le jeu de mots – que je partis pour Bordeaux, où je fus engagée comme mousse sur un navire en partance pour Nantes.

Pendant longtemps, je voyageai le long de la côte française, travaillant parfois comme matelot, parfois comme tailleur ou comme boulanger. La plupart de mes emplois étaient ennuyeux et ma vie solitaire, mais j'étais libre. Je n'avais plus à rester cloîtrée à la maison comme les autres filles, loin des regards hostiles, soumise aux hommes. Certains métiers, certains endroits aussi, ne m'étaient plus interdits du seul fait que j'étais Juive. Vous ne pouvez pas imaginer comme le monde m'apparut tout à coup immense, les possibilités infinies. Toute ma vie, j'avais rêvé de vivre loin des préjugés et de voyager. À cause d'un accident heureux ou grâce à Dieu – vous pouvez décider de ce que vous préférez, mère Claude –, mes deux plus grands désirs se trouvaient comblés d'un seul coup.

Puis, je fus arrêtée à la place d'un garçon qui portait

le même nom que moi. Je fus relâchée dès que mon accusateur me vit. Il y avait eu erreur sur la personne, mais ma mascarade avait bien failli être éventée. Je changeai donc mon nom pour celui de Jacques La Fargue, bien décidée à traverser en Nouvelle-France, où je croyais avoir moins de chances d'être reconnue et qui me semblait une bonne occasion de trouver un travail intéressant.

∽

Esther lève sur mère Claude un regard plein d'espoir.

— Et me voici devant vous.

— Loin d'étayer vos dires sur le fait que vous n'avez pas renié votre foi, Esther, cette histoire prouve seulement que vous n'êtes pas une très bonne juive.

— Vous avez raison, répond tristement Esther, je n'ai jamais été très bonne.

— Ah, ma chère enfant, on dirait bien que vous êtes prête pour la confession, et votre âme s'en trouvera soulagée.

La joie se lit sur le bon visage de la supérieure.

— Je suis désolée, mère. Je n'avais pas l'intention de vous induire en erreur.

— Que voulez-vous dire?

— J'ai simplement avoué avoir commis quelques fautes, manger du porc par exemple. Quand j'étais malade, madame Churiau m'a fait manger de la poitrine entrelardée. J'ai trouvé cela délicieux jusqu'à ce que je découvre ce que c'était. J'aurais bien voulu recracher, mais il était trop tard.

— Pourquoi est-ce que je perds mon temps avec vous, Esther ? demande la supérieure, ennuyée, en refermant brusquement son livre de prières. Vous auriez intérêt à considérer votre situation avec plus de réalisme.

— Je vous demande pardon ?

— Vous passez votre temps à dire que vous ne voulez pas rentrer chez vous. D'ailleurs, pourquoi le feriez-vous si votre seule perspective d'avenir est de réintégrer le peuple maudit qui a assassiné Notre-Seigneur ?

— Mais, ma mère, proteste Esther, il est écrit dans la Bible que ce sont les Romains qui ont tué Jésus comme ils ont tué d'autres martyrs, et saint Laurent, plus tard.

La supérieure est sidérée. Au cours de toutes ces années passées à sauver les âmes, personne n'a jamais osé invoquer ainsi les Saintes Écritures, pas même le plus malin des Indiens confiés à ses bons soins. Décidément, il faut quelque chose de plus drastique pour faire se dévoiler au grand jour les craintes et la vulnérabilité de cette fille, quelque chose qui la réduise à un tel état d'impuissance que c'est avec joie qu'elle acceptera de trouver refuge au sein de l'Église.

— Vous avez dit souhaiter trouver un emploi intéressant, Esther ? Très bien. À partir de maintenant, vous allez travailler dans la salle des fous. Je pense que vous vous y sentirez comme chez vous.

Esther fixe le sol. Elle a fait durer la joute aussi longtemps qu'elle a pu, mais elle a clairement surestimé la patience de cette femme. Elle n'y peut rien, elle ne peut pas confesser une foi qu'elle n'a pas, elle ne peut pas non plus renier ses propres traditions pour des raisons fausses et mensongères. Trop de gens de son peuple ont été tués ou soumis à d'indicibles tortures par l'Église bien-aimée de mère Claude. Un an avant son départ pour la Nouvelle-France, douze marranes sont morts sur le bûcher à Lisbonne, la ville d'où viennent les Brandãos, où sans doute des membres de sa famille vivent encore cachés, craignant chaque jour de subir les mêmes supplices. Se convertir au christianisme, ce serait bafouer les souffrances de tous ces autres Juifs.

Esther pourrait tenter d'expliquer sa pensée à mère Claude, mais elle doute que cela en vaille la peine. Cette femme n'est pas devenue supérieure d'un couvent en reconnaissant aux gens le droit de pratiquer d'autres religions. Il y a autre chose qu'Esther Brandeau sait qu'elle ne pourra jamais faire comprendre à mère Claude, même si elle admire cette femme et souhaite obtenir son assentiment : si elle se convertit, sa vie n'aura plus aucun sens, car au lieu de gagner sa liberté, elle la perdra. Et cette liberté, c'est tout ce qu'elle possède, c'est sa vraie religion, et elle n'est pas prête à l'abandonner. Elle reste donc silencieuse et se résout à accepter le châtiment qui l'attend, quel qu'il soit.

❖ ONZE ❖

Cuando ganaden esta accerado,
guehinam esta sempre abierto

Si le Jardin d'Éden est fermé à jamais,
l'Enfer est toujours ouvert

Il était une fois un savant juif très versé dans l'art sous toutes ses formes, sauf la magie. Lorsqu'il entendit que c'était en Égypte que se trouvaient les plus grands magiciens du monde, il décida de partir étudier auprès d'eux. Le premier soir, il s'arrêta dans une petite auberge au bord de la route. L'aubergiste lui fit visiter une chambre agréable pourvue d'un lit de plume et lui demanda combien de temps il comptait rester. Le voyageur répondit qu'il partirait tôt le lendemain matin, car il se rendait en Égypte pour y apprendre la magie.

L'aubergiste déclara qu'il était lui-même magicien de renom et qu'il pouvait lui enseigner tout ce qu'il voulait savoir. Mais le savant refusa de croire que ce vieil aubergiste courbé par l'âge et chauve comme un œuf pût être aussi puissant qu'il le prétendait. Pourquoi ne pas utiliser vos dons pour faire disparaître la note ? demanda le savant, narquois.

Il n'est jamais prudent de se moquer d'un magicien, et le savant allait vite l'apprendre. L'aubergiste le laissa défaire ses bagages, revint avec une grande écuelle d'eau et l'invita à se rafraîchir avant le repas. Dès qu'il se pencha au-dessus de l'écuelle, le savant perdit l'équilibre et tomba dedans. L'écuelle se métamorphosa en un vaste océan. Il dut nager de toutes ses forces pour atteindre le rivage, mais pas de terre en vue ! Une terrible tempête se leva, et avec elle des éclats de tonnerre, des éclairs plus aveuglants que le soleil et des vagues hautes comme des montagnes. Sous de telles masses d'eau, le savant comprit qu'il allait se noyer et il récita ses dernières prières.

Depuis combien de temps flottait-il, il n'en avait aucune idée. Le sel de ses larmes se mêlait à celui de la mer. Enfin, il entendit quelque chose, se remit sur le ventre et aperçut au loin une forme noire qui s'avançait vers lui. Un navire ! Les marins sur le pont avaient entendu ses cris. Ils lui lancèrent un câble et le hissèrent à bord, lui donnèrent des vêtements secs et un grand verre de rhum. Après avoir écouté le rescapé pendant un bon moment, ils furent ébahis par tant de savoir et par toutes les langues qu'il parlait couramment. Ils l'invitèrent à venir vivre chez eux, là où les savants étaient les plus respectés des hommes.

Il les accompagna donc et on le reçut avec tout le respect qu'on doit à un savant. Il fut nommé gouverneur de ce pays lointain et le dirigea avec grande sagesse pendant des années. Il se maria, il eut six enfants, trois garçons et trois filles, et finit par oublier complètement l'idée de se rendre en Égypte.

Un jour, le pays fut conquis par l'armée d'un terrible sultan, et le savant-gouverneur fut fait prisonnier et réduit à l'esclavage. Cruel, le sultan s'amusait à regarder ses esclaves travailler chaque jour sous le soleil brûlant, à construire une immense muraille autour de son royaume pour les y garder captifs et empêcher quiconque d'y pénétrer. Lorsqu'un esclave mourait – et il en mourait souvent, car le travail était rude et ils n'avaient que de l'eau et du pain sec pour survivre –, ses os étaient broyés et mélangés à la glaise pour rendre les briques plus résistantes. Une armée de gardes surveillait les esclaves jour et nuit, aucun n'avait jamais réussi à s'enfuir. Le pauvre savant désespérait de revoir un jour ses enfants et sa femme adorée.

Après des années de misère et longtemps après qu'il eut abandonné tout espoir d'être sauvé, la chance tourna en sa faveur. Laissé sans surveillance pendant quelques instants, il s'enfuit dans le désert. Inutile de le poursuivre, se dirent les soldats du sultan, il va se perdre dans cette immensité stérile et y mourir de faim et de soif. Après avoir erré des heures sans savoir où il allait, le savant était à bout de force. Il se mit à l'abri au creux d'une caverne et sombra dans un profond sommeil.

Il dormait depuis Dieu sait combien de temps lorsqu'il fut réveillé par un bruit étrange. Un oiseau merveilleux au plumage couleur d'or était perché à l'entrée de la caverne et chantait : « Suis-moi ! Suis-moi ! » Convaincu que c'était à lui que l'oiseau s'adressait, le savant le suivit à l'extérieur de la caverne. Prenant les devants, l'oiseau sautilla de pierre en pierre et arriva enfin à une oasis luxuriante entourée de palmiers lourds de fruits. En s'agenouillant pour boire, le savant vit, à la surface immobile de l'eau, le reflet de quelqu'un derrière lui. C'était le vieil aubergiste chauve chez qui il avait passé la nuit plusieurs années auparavant, alors qu'il se rendait en Égypte.

— Monsieur, dit l'aubergiste, vous avez mis si longtemps à vous laver le visage. Votre repas refroidit. Vous ne voudriez pas descendre et venir manger?

Conscient de son erreur, le savant décida de rester chez l'aubergiste et d'apprendre avec lui l'art de la magie.

⌒⌣⌒

Au moment où Esther achève son histoire, satisfaite, fière d'avoir apporté un peu de plaisir dans l'aile des fous, elle est décontenancée par la quasi-émeute qui éclate autour d'elle. Au lieu d'être apaisés par son histoire comme elle l'espérait, les pensionnaires sont plus agités que jamais.

« Suis-moi! Suis-moi! » crie une femme édentée au visage ratatiné et à la crinière rousse – elle a étouffé son dix-huitième enfant à la naissance – en courant autour de la pièce et en battant des bras comme un oiseau dément. Ses autres enfants s'ennuient affreusement d'elle, mais comme elle n'a pas le droit de les voir, sa folie s'aggrave à mesure que le temps passe.

« Suis-moi ! Suis-moi ! » crient, pour faire comme elle, plusieurs autres patients. Les plus timides, bouleversés, se mettent à pleurer et un vieil homme à quatre pattes hurle comme un chien.

— Méchante fille, crie sœur Agnès, qui essaie sans succès d'attraper la femme volante. Il faudra tout l'après-midi pour les calmer.

Par bonheur, le docteur Lévesque, l'un des rares médecins formés en France, est de passage à l'asile aujourd'hui, normalement assigné à l'Hôtel-Dieu, l'hôpital des gens respectables. Il tient toutefois à visiter l'Hôpital général une fois par semaine pour superviser les soins que les sœurs infirmières dispensent à la lie de la société, les pauvres, les handicapés, les criminels et les fous. À mesure qu'elle connaît mieux cet homme, Esther est impressionnée par ses connaissances et, surtout, par sa bienveillance.

Le docteur Lévesque reproche gentiment à Esther de raconter de telles histoires aux pensionnaires et lui rappelle à quel point ils ont peine à distinguer rêve et réalité. Il attache l'homme qui hurle à une chaise sans trop serrer les courroies, essuie tendrement la salive sur son menton et continue sa tournée dans la salle. Il console une jeune fille en larmes, examine la gorge d'un homme qui dit ne pas pouvoir avaler, donne une pilule de sucre ici, là il tapote un dos, jusqu'à ce que tous les malades soient contents qu'on se soit occupé d'eux. Dès que le médecin passe à un nouveau patient, le précédent éclate en sanglots et se met à tempêter de manière incohérente. Toutefois, pendant le court instant où ils ont toute son attention, les malades sont plus calmes et s'expriment plus clairement, et il est alors possible de lire sous le masque de la folie la véritable souffrance de chacun.

— Comment faites-vous pour ne pas perdre votre calme ? demande Esther après qu'un patient, un arriéré sourd et muet d'un âge indéterminé, eut tenté de le mordre.

— La gratitude.

— Pour quelle raison ?

— De ne pas être à leur place.

Pendant les mois passés à discuter des vertus de la soumission avec madame Duplessis ou de la possibilité du salut éternel avec mère Claude, jamais Esther ne s'est sentie aussi émue qu'en entendant ces dernières paroles. Malgré tout le respect qu'elle éprouve pour les deux femmes, le genre de mysticisme que propose leur religion ne l'attire aucunement. Elle veut constater les résultats de ses actes dans ce monde-ci et pas dans l'autre, elle ne voit pas l'intérêt d'un monde après la mort, ne croit ni aux anges ni aux démons et ne désire qu'une chose : que sa vie ait un sens. La philanthropie en action du médecin lui plaît et n'a rien à voir avec les sermons sur le péché et sur le pardon.

— Vous êtes très généreux, dit-elle.

— Non, fait-il, je suis seulement un très bon médecin.

— Je voudrais que vous m'appreniez à me rendre utile. Si je me rends indispensable, peut-être monsieur Hocquart ne me renverra-t-il pas.

— J'en doute. La loi stipule que seuls les catholiques ont le droit de vivre en Nouvelle-France.

Esther s'étonne de l'amertume palpable qu'elle entend dans sa voix.

— Pensez-vous que la loi soit injuste, docteur? réplique-t-elle brusquement.

— Ce que je pense n'a aucune importance.

Esther regarde autour d'elle pour s'assurer qu'aucune sœur infirmière ne les écoute, mais ils sont seuls et c'est peut-être ce qui a poussé le médecin à lui parler aussi franchement, ou serait-ce plutôt parce qu'elle est Juive – donc étrangère – et que de ce fait elle serait la dernière à pouvoir lui reprocher sa liberté de pensée? Peu importe la raison, elle lui en sait gré. Rarement a-t-elle rencontré quelqu'un qui voit la vie comme elle.

Du coup, elle décide de se faire l'assistante du docteur Lévesque et de travailler deux fois plus fort, à transporter son matériel médical de chambre en chambre, à consoler les patients en son absence, à nourrir les catatoniques, à laver les incontinents. Il est assez ironique de penser qu'elle a quitté en France une vie de domestique pour en accepter une autre ici. Au moins, espère-t-elle, on l'appréciera à sa juste valeur.

Le travail est loin d'être ennuyeux. Elle a la permission de jouer aux billes avec les jeunes patients, aux échecs avec les plus âgés, et elle prend le temps d'écouter bon nombre d'histoires assez folles – dont certaines encore plus farfelues que celles qu'elle n'ose plus raconter. De toutes ses tâches, c'est ce qu'elle préfère : elle se laisse émerveiller par l'histoire d'un jeune garçon qui raconte avec conviction et quantité de détails comment il s'est envolé la nuit au-dessus de la campagne silencieuse, frôlant la cime des arbres pendant que les autres dormaient. Ou celle d'un vieil homme ratatiné à la barbe en broussaille qui dit être le fils illégitime du roi, exilé parce que sa mère est tombée en disgrâce à la cour. Il semble y avoir chez les fous autant d'aristocrates que de prophètes et de saints hommes. Ils aiment tous Esther parce qu'elle est la seule parmi le personnel soignant qui non seulement écoute attentivement leurs histoires, mais en plus exige des détails.

Écouter les hallucinations des patients, se laisser flatter par leurs demandes en mariage, éponger leurs membres fiévreux ou tenir la bassine lors des saignées, rien de tout cela n'empêche Esther de profiter avec bonheur de ses conversations avec le médecin. Il pratique une sorte d'humour noir qui reflète sa vision du monde à elle, et qu'elle soit Juive ne semble pas le déranger, contrairement aux infirmières qui ne cessent de lui adresser des commentaires injurieux.

Esther est surprise de constater après coup le peu d'hostilité de mère Claude envers elle. Trop sûre de sa foi, peut-être? Chose certaine, la supérieure est moins crédule que les autres religieuses qui, elles, sont prêtes à croire n'importe quoi.

— Montre-nous tes cornes, Esther! disent certaines.

— Veux-tu que nous te gardions le sang des patients pour tes rites de la Pâque juive?

Si le docteur Lévesque est aux alentours, il s'empresse de les réprimander, mais dès qu'il s'éloigne, elles persistent à cracher leur venin. Esther pense en faire part à mère Claude à l'occasion de leur prochaine rencontre hebdomadaire, mais elle ne veut pas non plus avoir l'air de se plaindre. Personne ne parle plus de la renvoyer en France, et elle entend bien laisser aller ainsi les choses. C'est son premier été à Québec et, espère-t-elle, ce ne sera pas le dernier.

Esther s'étonne de la chaleur, plus intense jour après jour, après un si long hiver et un printemps si timide. Elle transpire abondamment même quand elle ne s'active pas, elle essaie de venir à bout de ses tâches avec la même ferveur qu'avant, mais son énergie faiblit, elle se sent de plus en plus fatiguée. Elle a l'impression d'avancer dans le brouillard et tout son corps lui fait mal. Quand sœur Agnès la réprimande pour sa paresse et son incompétence – comme tous les Juifs, un parasite! –, elle demande à aller s'étendre un moment et ne peut plus se relever de la journée, ni de la suivante. Le docteur Lévesque vient l'examiner.

— Que se passe-t-il, Esther?

— Je suis si fatiguée, j'ai peine à bouger, je n'arrête pas de grelotter même si je suis brûlante de fièvre, et puis j'ai mal au bras droit.

Il remonte sa manche et découvre des zébrures rouges qui partent du pouce et remontent tout le long de son bras, chaud et très enflé.

— Comment est-ce arrivé?

— Un des patients a cassé son pot de chambre et je me suis coupée en ramassant les morceaux.

— Empoisonnement du sang, murmure le médecin.

Le calme de sa voix n'arrive pas à masquer l'inquiétude.

— Je vais mourir ? articule-t-elle, aussi détachée que si elle lui demandait l'heure.

Le docteur Lévesque s'inquiète sérieusement, un tel état de faiblesse indique que l'infection est avancée, la raison d'Esther en est déjà affectée : il est impossible qu'une fille aussi jeune n'ait pas une plus grande envie de vivre.

— Pas si je m'en occupe, mais vous aurez un dur moment à passer avant que les choses s'améliorent.

Esther s'effondre sur l'oreiller, même si une partie d'elle-même lui ordonne de bien écouter ce que dit le docteur pour qu'elle sache quoi faire à l'avenir dans ce genre de situation. Le médecin noue un garrot à son poignet et demande aux infirmières d'apporter de l'eau bouillante, des linges propres et des pommades. Puis il ouvre la plaie d'où jaillit un flot de pus et de sang, il presse si fort qu'Esther hurle de douleur alors que les autres s'attroupent autour du médecin. Esther les voit toutes en noir et blanc, tant de noir et blanc qu'elle en est étourdie, leurs visages l'effraient, on dirait des fantômes voilés flottant au-dessus d'elle, comment n'a-t-elle jamais remarqué à quel point les religieuses ont l'air bizarre ? Elle voudrait bien l'expliquer au docteur, mais il lui dit de rester calme et de ménager ses forces.

Quel est ce parfum ? C'est doux, Esther le connaît, cela vient de très loin, de France. De la lavande ? Quelqu'un frotte son bras avec une lotion cicatrisante et le bande, bien serré. L'odeur est si forte qu'elle a peur de vomir. Elle ferme les yeux, succombe à une vague d'épuisement qui l'emporte par-delà l'océan, l'engloutit et la laisse remonter à la surface encore et encore jusqu'à ce qu'elle ne sache plus différencier le jour de la nuit, l'hiver de l'été, jusqu'à ce qu'elle ne sache plus qui elle est, ni où elle est.

Elle rêve qu'elle est ballottée par une violente tempête qui balaie tous ceux qu'elle connus ou aimés, une tempête qui détrempe les vêtements qui lui collent à la peau et remplit son esprit de terreur. Serait-elle à bord de l'arche de Noé ? Des singes bavardent, pèlent des bananes avec leurs pieds. Puis s'avancent des chameaux aux longs cils, et un lion dont la gueule immense s'ouvre comme une caverne et l'avale toute crue. L'intérieur de la caverne est si sombre qu'elle n'y voit rien, mais des voix résonnent autour d'elle, répétant des noms : *Estrella, Esther, Aissata, Estella, Esteban, Edza, Aziza...*

Un jour, on la soulève et on la conduit à l'extérieur, elle peut sentir le parfum des fleurs et des arbres, sentir aussi la chaleur du soleil, si léger et si tendre après la moiteur de son lit. Elle se bat pour reprendre connaissance, elle gémit, tente d'ouvrir les yeux.

— Ne vous en faites pas, petite Esther, fait une voix d'homme. Vous rentrez à la maison avec moi.

Elle voudrait parler, le remercier, mais il ne lui vient qu'un mot :

— *Gracias.*

Ce n'est sûrement pas le bon, mais l'homme semble comprendre ce qu'elle a voulu dire, car il répond :

— *De nada.*

La brise ébouriffe ses cheveux, elle s'entend gémir dans cette langue enfouie au fond de sa mémoire – est-ce vraiment sa voix ? – et lorsqu'on l'installe dans une carriole, tout enveloppée de couvertures, elle s'entend chantonner d'une voix somnolente une berceuse venue d'une autre vie :

Y anoche, mi madré
Cuando me eché a acordar
soñabo un sueño

Elle s'arrête, la suite ne vient pas, et c'est la voix de l'homme qui termine la strophe :

tan dulce era de contar
que me adormía
y a orias del mar.

Bercée par la carriole comme elle l'aurait été à bord d'un navire, elle sombre dans le sommeil.

∽

Elle se laisse bercer encore. Quelqu'un chante, dans cette langue qu'elle reconnaît bien maintenant, et la chanson lui rappelle les bras de sa mère, l'enveloppe et la fait se sentir toute petite et à l'abri de tout. Sa mère qui lui a tant manqué, elle est là, après tout ce temps, venue la rejoindre sur les mots d'une chanson. *Mama!*

— Là, là, fait une voix toute proche, dors, ma petite, dors et bientôt tu iras mieux.

Une main repousse tendrement les cheveux qui collent à son front brûlant, comme le faisait sa mère quand elle était malade, jusqu'à ce qu'elle aille mieux, mais ce n'est pas celle de sa mère. La main la caresse comme personne ne l'a caressée depuis des années. Alors, elle s'endort profondément, pleine de gratitude. Parfois elle sent qu'on l'éponge avec un peu d'eau fraîche, et elle avale avec bonheur tout ce qui passe entre ses lèvres desséchées. Quand elle se rendort, les mauvais rêves s'envolent et son seul souvenir est celui du visage de sa mère : un visage qu'elle croyait avoir depuis longtemps oublié.

DOUZE

Si neviim no somos,
de neviim venimos

Nous ne sommes pas prophètes,
mais de la descendance des prophètes

Comme des nuages chassés par le vent, les rêves d'Esther,
étonnamment précis, s'effacent et laissent derrière eux le
souvenir heureux de ces traits tant aimés. Elle s'éveille
dans un lit qu'elle ne connaît pas, dans des vêtements
qu'elle ne connaît pas. Elle s'assied, un peu étourdie et
désorientée, mais consciente. Sur une petite table, juste
à portée de main, un verre d'eau qu'elle boit avidement.

À côté, deux galettes dans une assiette de fine porcelaine bleu et blanc. Elle en mange une lentement, puis
l'autre, c'est bon, c'est sucré, ça fond dans la bouche.
Combien de temps s'est écoulé depuis la dernière fois
qu'elle a mangé, elle n'en a aucune idée, mais elle a très
faim. Elle termine le verre d'eau puis au bout d'un
moment elle s'agite, nerveuse. Serait-elle de retour chez
madame Duplessis ? Même si elle ne reconnaît rien
autour d'elle, elle appelle à tout hasard :

— Claire ?

Mais c'est madame Lévesque qui entre.

— Je suis ravie de voir que vous allez mieux, Esther.

Le reflet de sa robe de satin rouge colore son bon visage.

— C'est vous qui avez pris soin de moi ? demande Esther, l'esprit confus.

— Oui, ma chère.

— Pourquoi ?

— Gabriel et moi avons pensé que vous vous rétabliriez mieux ici qu'à l'hôpital.

— Vraiment ?

— Vraiment, dit madame Lévesque en riant. Pourquoi avez-vous tant de mal à accepter qu'on prenne soin de vous ?

— Ce n'est pas facile à expliquer.

— Essayez donc ! Ça ne vous aide pas de tout garder pour vous. Vous n'en serez que plus malade. Et croyez-moi, pour garder les secrets, il n'y a pas meilleure que moi.

Madame Lévesque s'assied au bord du lit et prend entre ses mains les doigts glacés d'Esther.

— Parlez-moi de votre vraie famille, Esther.

Esther baisse les yeux sur leurs mains entrelacées, celles de son hôtesse déformées par l'arthrite, la peau ridée et les veines saillantes. Les siennes, par contre, sont celles d'une enfant. Durant la maladie, ses ongles, d'habitude rongés jusqu'au sang, ont eu le temps de pousser ; ils sont maintenant remarquablement propres, elle les reconnaît à peine. Tout est si étrange, le léger châle rose sur ses épaules maigres, la tresse de cheveux noirs dans son cou. Cette toute nouvelle Esther serait-elle capable de vivre au présent? Pourrait-elle enfin cesser de fuir son passé? Madame Lévesque lui a sauvé la vie, ne lui doit-elle pas la vérité?

Elle inspire profondément, et raconte, bien calée dans les oreillers.

— Ma mère est morte de la typhoïde quand j'avais quatre ans. Elle n'était pas… mariée. C'était une simple servante, sans éducation.

— Mais vous l'aimiez beaucoup?

— Beaucoup.

— Et après son décès?

— Mon père m'a élevée parce qu'il croyait que c'était son devoir, sans se rendre compte à quel point c'était difficile pour sa femme.

— Et votre belle-mère, elle était cruelle à votre égard?

— Elle était toujours furieuse contre moi. Elle m'appelait « la bâtarde » ou « la petite laide » et me faisait bien comprendre que je ne faisais pas partie de la famille. Mais ses fils étaient gentils. Ils me laissaient assister à leurs cours. J'aimais beaucoup mon frère Daniel, c'était mon héros.

— Votre père ne vous protégeait pas?

Le cœur submergé par tant de bonté, Esther se surprend à révéler ce qu'elle n'a jamais dit à personne.

— Il n'était pas souvent à la maison. Quand il rentrait, parfois très tard, je pleurais à cause des méchancetés de sa femme. Il me demandait chaque fois de lui pardonner et de comprendre combien c'était dur pour elle. Même petite, je me demandais pourquoi je devais pardonner à cette femme qui faisait exprès de me faire souffrir, alors qu'elle ne me pardonnait rien, à moi.

— Pas étonnant que vous vous soyez enfuie, dit madame Lévesque en prenant Esther entre ses bras comme pour la protéger du malheur à venir. Mais les choses ont changé, Esther, et ici, à Québec, vous savez qu'il y a des gens qui tiennent à vous.

Esther détourne la tête, envahie par une tristesse qu'elle a toujours tenté de cacher. Madame Lévesque va chercher un mouchoir joliment brodé, elle attend tranquillement qu'Esther se mouche et qu'elle se soit calmée avant de poursuivre.

— C'est vrai, ma chère. Pendant que vous étiez malade, vous avez reçu de nombreuses visites.

— Je m'en souviens très peu, dit Esther, heureuse qu'on change de sujet.

— Madame Duplessis est venue souvent avec l'une de ses domestiques, celle qui louche.

— C'est mon amie Claire. Et Marie-Thérèse, la gouvernante de monsieur Hocquart, elle est venue me voir elle aussi, n'est-ce pas?

— Elle est restée assise à prier auprès de vous pendant des heures.

— Il y avait aussi un homme que je n'ai pas reconnu. Très beau, avec des yeux très bleus.

— C'est Joseph, le plus jeune de mes fils, qui est venu de Ville-Marie. Si vous avez été capable de remarquer sa belle allure, vous étiez peut-être moins malade qu'on le croyait, dit madame Lévesque en souriant.

— Vous me voyez confuse.

— Mais vous êtes à l'âge de penser aux jeunes hommes.

— Je vous en prie, arrêtez, madame.

Madame Lévesque s'amuse de la voir rougir.

— Pourquoi? Seriez-vous si différente des autres?

— Je soupçonne qu'il y en a d'autres qui, comme moi, souhaiteraient avoir le vent dans les voiles plutôt qu'un enfant dans le ventre.

— C'est possible, répond madame Lévesque en riant, mais bien peu ont le courage de mettre leurs désirs en pratique.

— Pourquoi les filles doivent-elles toujours abandonner leurs rêves? demande Esther, et dans sa voix, le défi refait surface.

— Croyez-vous que les hommes peuvent toujours faire ce qu'ils veulent?

— Au moins, on ne les en empêche pas, eux, seulement parce qu'ils sont des hommes.

— Il y a bien d'autres obstacles auxquels les êtres doivent faire face, Esther.

— Comme la maladie? Ou la pauvreté?

— Oui, ou un manque d'éducation. Ou encore, ne pas appartenir à la bonne race ni à la bonne religion. Comme mon cher mari.

— Que voulez-vous dire?

Madame Lévesque murmure, presque trop bas pour qu'Esther entende:

— Ce que je vais vous dire pourrait être dangereux pour nous tous, mais je crois que vous devez savoir.

— Savoir quoi ?

— Que vous n'êtes pas la seule qui ait eu besoin de se cacher.

— Je ne saisis pas, dit Esther.

Mais tout de suite, elle comprend. La tristesse du docteur, et ses phrases parfois énigmatiques, tout cela commence à prendre un sens. La voix qui chantait les ballades sépharades quand elle était malade n'était pas une hallucination causée par la fièvre, comme elle l'avait cru – c'est lui, sûrement, qui l'a amenée ici dans la carriole, et tout ce qu'elle n'a pu comprendre dans son délire lui saute maintenant aux yeux.

— Mais il s'appelle Lévesque !

— Son grand-père s'appelait Cohen. C'est plus ou moins une traduction littérale.

Esther n'en croit pas ses oreilles.

— Il y a d'autres Juifs ici ? chuchote-t-elle.

— Quelques-uns, mais ils se cachent. Je ne peux rien dire au sujet de Gabriel, à personne, pas même à mes sœurs ou à mes amies proches comme madame Duplessis.

— Et vos enfants, ils le savent ?

— Nous avons attendu qu'ils soient grands avant de leur en parler, trop inquiets qu'un mot échappé par inadvertance puisse mettre leur père en danger.

— Ils seraient eux-mêmes en danger ?

— J'en doute. Ma famille, comme vous le savez, est très influente. Nous avons élevé nos enfants comme de bons catholiques et ils élèvent les leurs de la même manière. J'espère que, lorsqu'ils auront atteint l'âge adulte, on ne se souciera plus de la religion de leur grand-père. Vous savez, Esther, ajoute-t-elle en souriant, j'ai pensé que vous seriez moins seule si je vous confiais mon secret, mais je m'aperçois que c'est moi qui me sentais seule.

— Merci de votre confiance, madame, dit Esther en se levant, un peu chancelante, pour venir l'embrasser. Je ne vous trahirai jamais.

— Je le sais bien, ma chère. Et puis, qui vous croirait? fait-elle en riant.

◦◦◦

Maintenant qu'elle se sent mieux, Esther se lève de plus en plus souvent, prend ses repas avec la famille et va s'asseoir dehors au soleil pour observer madame Lévesque qui travaille dans son jardin. Celle-ci partage la même passion que son amie, madame Duplessis, pour le jardinage, et elle est encore en assez bonne forme pour s'y adonner. Mais comme elle ne possède qu'un petit bout de terrain, elle cultive des fleurs plutôt que des fruits et des légumes. Elle traite ses plantes comme ses propres enfants, coupe les fleurs fanées de ses rosiers, enlève les pucerons des nouveaux boutons, taille les branches et les feuilles jaunies ou tachées, travaille son terreau à la truelle. Même si elle jouit d'une certaine richesse et qu'elle a plusieurs domestiques, le jardinage n'est pas pour elle une corvée, mais un immense plaisir.

Madame Lévesque garde un carré pour les fines herbes, dont plusieurs plantes médicinales, comme la lavande qui a servi à désinfecter la blessure d'Esther. Elle s'est taillé une réputation de botaniste et elle a pris la relève de Michel Sarrazin, feu le médecin du roi, afin d'assister son mari. Les remèdes indigènes l'intéressent particulièrement et elle cultive certaines plantes qui entrent dans leur composition : la fougère capillaire pour les affections respiratoires, la gaulthérie pour les douleurs des articulations, l'échinacée pourpre contre la fièvre, la sanguinaire comme vomitif et le ginseng comme tonique universel. Elle récolte aussi la gomme d'épinette, qu'elle utilise comme baume et pour traiter les maladies de la vessie. L'avantage des plantes indigènes, c'est que, contrairement à celles venues d'Europe, elles sont adaptées au climat. Le romarin, vivace en France, survit rarement ici, et madame Lévesque doit en rentrer un pot dans la maison avant les premiers gels et le replanter au printemps avec la marjolaine, le basilic, le thym et les semis d'aneth. Elle cultive ces plantes à l'intérieur quand tout est gelé dehors, c'est son jardin d'hiver.

Qu'elles soient d'ailleurs ou indigènes, ses plantes vivent en harmonie. Pour madame Lévesque, le principe le plus important dans la vie est l'équilibre. Elle soutient que l'équilibre entre les quatre saisons du Canada coïncide avec les humeurs du corps humain : l'hiver, froid et humide, correspond au tempérament flegmatique ; le printemps, chaud et humide, au tempérament sanguin ; l'été, chaud et sec, au colérique ; et l'automne, sec et froid, au mélancolique. Esther, elle en est convaincue, souffre de mélancolie depuis des années. Venir à Québec sous une fausse identité n'a fait qu'empirer les choses, elle a étouffé sa vraie personnalité, et il en est résulté un excès de bile noire. Voilà pourquoi la septicémie dont elle a souffert à l'hôpital – une punition pour avoir été paresseuse, ont dit les religieuses – a eu l'effet d'un purgatif, la fièvre violente a chassé le froid de son corps de la même manière qu'on nettoie les terres en brûlant les souches. La voilà prête pour une nouvelle vie.

— C'est bien dommage que vous ayez manqué la fête de celle dont vous portez le nom, fait un jour remarquer madame Lévesque à Esther qui la suit avec un panier et des outils de jardin.

— Vous célébrez Pourim, vous faites le jeûne d'Esther? demande-t-elle, étonnée.

Même si le médecin est juif, il y a bien peu de signes d'observance religieuse dans la maison, sauf qu'il repousse le porc au bord de son assiette dès que les servantes ont quitté la pièce et qu'il prie dès l'aube en silence, tourné vers l'est. On allume des bougies et on boit du vin le jour du sabbat, mais comme cela se passe en soirée, personne n'en a connaissance. Tout ce qui touche à sa religion, le médecin doit le pratiquer seul et en secret.

— Moi, non, mais la veille, Gabriel jeûne, c'est la meilleure façon d'être ivre pendant le repas de fête.

Esther ne peut s'empêcher de rire.

— Pourim, c'est ma fête préférée, dit-elle. Pas parce

qu'il faut s'enivrer, même si ça rend joyeux, mais parce qu'Esther a toujours été pour moi un modèle.

— Je le pensais bien. En fait, dès que j'ai su votre nom, dès que j'ai appris que vous étiez arrivée travestie, je vous ai soupçonnée d'être Juive.

— Vraiment? Alors pourquoi m'avez-vous placée chez madame Duplessis où je devais faire semblant de prier Jésus tout le temps?

— J'ai pensé que vous seriez bonne l'une envers l'autre, elle est très seule et vous aussi.

Quand madame Lévesque se redresse, son mal de dos lui fait pousser un cri.

— D'autre part, Gabriel m'a appris que Dieu n'a pas qu'un seul nom. Peu importe celui que vous Lui donnez dans vos prières si vos intentions sont bonnes. Moi, je prierais n'importe quel dieu qui aurait le pouvoir de soulager mon arthrite.

— Pauvre maman, dit un jeune homme qui vient d'entrer dans le jardin vêtu d'une cape froissée par le voyage, les bottes pleines de boue.

— Joseph! s'écrie sa mère, en se jetant dans ses bras. Depuis quand te laisses-tu pousser la barbe?

— C'est la mode à Ville-Marie, répond-il en souriant. Mais je la raserai si tu n'aimes pas ça.

— Non, surtout pas, tu es tout le portrait de ton père quand il avait ton âge. Encore plus beau, peut-être. Mais je suis bien impolie, te souviens-tu de mademoiselle Brandeau, qui était atrocement malade à ta dernière visite?

— Je suis heureux de vous voir guérie, mademoiselle Brandeau, dit-il en s'inclinant. Mes parents s'inquiétaient beaucoup pour vous.

— Vos parents m'ont sauvé la vie, monsieur, répond Esther dans une révérence.

— N'exagérez pas, Esther, dit madame Lévesque. Vous faites maintenant partie de la famille.

Une main autour de la taille de son fils et l'autre autour de celle d'Esther, madame Lévesque mène en riant les deux jeunes gens à l'intérieur de la maison. Trop espérer peut porter malheur, se dit-elle. Mais d'une manière ou d'une autre, elle ne peut s'empêcher de penser que les choses évoluent suivant des lois établies par l'univers.

TREIZE

Uno ano mas, un sehel mas

Plus vieux d'un an, plus sage d'un an

C'est une belle journée d'août, les fenêtres sont ouvertes et, même si une brise éparpille par moments les papiers sur son bureau, Hocquart ressent le besoin de retirer sa veste. Des taches humides marquent ses aisselles, la sueur lui coule le long du ventre, il craint de sentir mauvais. Encore deux heures de travail et il ira prendre un bain et changer de vêtements, avant le souper avec Beauharnois.

Depuis des semaines, il remet le rendez-vous avec le gouverneur, sachant trop bien que le premier sujet que celui-ci abordera sera le sort d'Esther Brandeau. Les ordres sont clairs : ou elle se convertit ou elle est renvoyée en France sur-le-champ. Tant qu'elle était entre la vie et la mort, la décision était suspendue, mais maintenant qu'elle est guérie, il faut la prendre. Elle ne peut pas rester chez madame Lévesque comme si tout était réglé. C'est pure négligence de sa part d'avoir permis à cette dernière de l'accueillir chez elle, mais elle avait insisté : si

Esther restait à l'hôpital, elle mourrait. Hocquart n'a jamais su refuser quoi que ce soit à madame Lévesque, c'est une force de la nature.

Il regarde la lettre signée sur son bureau, arrivée en juin par le premier bateau venu de France et à laquelle il n'a pas encore répondu. Comme tout le monde, il avait attendu ce jour avec impatience. Dans le port, on espérait des amis ou des parents, ou encore des marchandises, les dames le dernier cri de la mode de Paris, et les hommes leur nouvelle cargaison de vin et de cognac. L'armée attendait des troupes fraîches, les commerçants leurs nouveaux apprentis. Pour sa part, Hocquart se souciait moins du courrier officiel que du chocolat fin qu'il avait commandé en quantité. Le chocolat était arrivé, la lettre aussi, et elle venait confirmer les renseignements rapportés à Varin par ses espions : oui, Esther Brandeau est Juive.

Ordres du roi et Dépêches aux Colonies

21 avril 1739

Je ne sais pas si l'on peut croire sans réserve la déclaration de ladite Esther Brandeau qui est venue au Canada l'année dernière déguisée en garçon sur le navire Saint-Michel. *À condition que cela soit vrai, j'approuve votre décision de la placer à l'hôpital général de Québec, et je serai bien aise d'apprendre sa conversion.*

Du ministre de la Marine à monsieur Hocquart, intendant du gouvernement de France à Québec

Il doit pourtant bien y avoir une bouteille d'eau de Cologne quelque part, se dit Hocquart. Marie-Thérèse, elle, saurait où la trouver. Il ne peut pas se permettre de sentir mauvais devant ce paon. Sauf que – l'idée le frappe comme une subite rage de dents – Marie-Thérèse est partie. Lorsqu'elle lui a demandé sa bénédiction, il en est resté stupéfait. Qui aurait pu croire qu'une femme au physique aussi ingrat puisse, à trente-six ans, recevoir une demande en mariage ? Son nouveau mari est un homme respectable, un bon paysan, veuf avec trois enfants, il cultive une belle terre dans l'île d'Orléans. Ils se sont liés d'amitié au marché en discutant de la qualité des fromages : élevée sur une ferme, Marie-Thérèse s'y connaît en la matière. Le fermier, en homme pratique, a su voir en elle la femme vaillante qui lui ferait une excellente partenaire à la ferme et servirait de mère à ses enfants. Il lui a donc proposé de l'épouser. Avec un sourire désabusé, Hocquart se dit que si pareille chose a pu arriver à sa gouvernante, peut-être qu'après tout il lui reste un peu d'espoir.

C'est Marie-Thérèse qui, avant de partir, l'a aidé à trouver une remplaçante, car il n'avait aucune envie de faire passer des entrevues à une bande de pies jacasseuses avant d'un choisir une, de l'observer et de s'entretenir avec elle pendant Dieu sait combien de temps. La meilleure candidate était une veuve au visage en lame de couteau du nom de madame Archambault. Elle sait très bien tenir la maison – le gaspillage et les bourdes des servantes sont choses du passé –, mais à vrai dire il souhaiterait quelqu'un comme Esther pour lui tenir compagnie, quelqu'un d'intelligent, d'intéressant, et qui aime bien manger. Mais, bien sûr, Esther ne pourrait jamais diriger la maisonnée, elle n'a aucun sens des choses domestiques.

À son mariage, où il était l'invité d'honneur, Marie-Thérèse lui avait demandé poliment comment allaient les choses. Ayant bu plus que sa part d'un cidre de la région plutôt costaud, il avait avoué son aversion pour la nouvelle gouvernante. Il aurait aimé qu'elle choisisse quelqu'un qui n'ait pas cet air de bourreau, quelqu'un de vivant auprès de qui l'on prend plaisir à vivre. Le pire, avait-il confessé, c'est que personne à la cuisine ne savait plus préparer le chocolat.

— Peut-être qu'il n'est pas trop tard pour remédier à cela, avait répliqué Marie-Thérèse, admirant tendrement son nouvel époux valser avec élégance avec sa plus jeune fille, perchée sur le bout de ses grosses bottes.

— Que voulez-vous dire?

— Monsieur Hocquart, avait-elle hésité à répondre, connaissant trop bien sa pudeur, je n'ai pas pu m'empêcher de remarquer l'affection que vous portez à Esther Brandeau. Elle est seule au monde et vous l'êtes tout autant. Peut-être… peut-être pourriez-vous être heureux ensemble, tous les deux?

Heureusement, juste au moment où il s'empourprait, sous l'effet de la gêne autant que du cidre, le marié était passé avec sa fille et il avait entraîné Marie-Thérèse avec eux avant que Hocquart ait pu penser à une réponse. Il s'était empressé de réclamer son attelage et il était rentré chez lui, soulagé que personne n'ait surpris leur conversation. Mais il ne pouvait s'empêcher de réfléchir à la suggestion de Marie-Thérèse.

Serait-ce vraiment impossible ? se demande-t-il aujourd'hui.

Il doit d'abord convaincre Esther de se convertir, ce que même l'admirable mère Claude n'a pas réussi à faire. En retour, il lui offre le mariage, une proposition différente de toutes celles qu'il lui a déjà faites. Elle n'a rien ni personne. Le mariage représenterait un échange équitable, même avec un vieux mari chauve. Après tout, ils ont beaucoup en commun, les mêmes goûts en littérature et en gastronomie, et ces similitudes sont censées fournir une base solide aux relations conjugales.

Bien sûr, et c'est l'évidence même, s'il épouse Esther Brandeau, il devra forcément quitter Québec. Beauharnois prendrait trop de plaisir à les humilier à la moindre occasion, et jamais Hocquart ne parviendrait à imposer son autorité aux amis du gouverneur. Pourquoi ne pas repartir de zéro dans un nouveau poste, ailleurs dans les possessions françaises ? Avec une femme comme Esther – jeune, charmante, intelligente –, il pourrait s'élever dans l'administration, ils iraient dans un endroit plus facile à gouverner, plus chaud que la Nouvelle-France, une de ces florissantes îles sucrières comme la Guadeloupe, Saint-Domingue peut-être ? Un endroit où elle pourrait se reposer toute la journée dans un hamac pour se refaire une santé. Ils se délecteraient de fruits exotiques, feraient pousser leur propre chocolat et se baigneraient dans une mer turquoise. Esther aime l'océan, elle le lui a souvent dit. Si l'idée de le prendre pour mari ne suffisait pas, un tel projet d'avenir arriverait-il à la convaincre?

Il s'attarde devant sa bibliothèque, il choisit un atlas et, tout en le feuilletant, se réjouit de constater l'ampleur de la puissance de la France à travers le monde. L'idée d'un autre long voyage en mer ne lui plaît pas particulièrement, mais un frisson d'excitation lui descend le long de l'échine. Jamais l'imprévu n'a fait partie de la vie du terne Gilles Hocquart. Il s'est contenté d'accomplir un travail choisi par son père, sans jamais se demander s'il était heureux ou non, si la solitude lui pesait, sans se demander non plus s'il aurait préféré un autre mode de vie. Il aurait dû se poser la question plus tôt, mais au moins il se la posait aujourd'hui, et il n'était peut-être pas trop tard.

ॐ

— Je ne sais que répondre, dit Esther.

— Dois-je y voir un bon ou un mauvais augure? demande Hocquart.

La jeune fille répond à ce mauvais trait d'humour par un sourire désabusé, puis s'avance vers la fenêtre et regarde au loin. Il remarque sa démarche, étonnamment gracieuse. Elle semble plus à l'aise dans sa longue jupe, moins empêtrée que dans son souvenir. Pas de doute, Esther a changé. Ses cheveux, plus longs maintenant et bien coiffés, dégagent son front et, retenus par un ruban de velours, retombent joliment dans son dos. Elle s'est épilé les sourcils, sûrement à la suggestion de madame Lévesque, modèle d'élégance, elle porte une ravissante robe lilas qui lui va fort bien au teint et elle a pris du poids depuis la dernière fois qu'il l'a vue, bien moins osseuse qu'avant. Tous ces changements chez elle lui font croire que sa proposition de mariage est moins absurde qu'il ne l'avait craint et l'encourage à croire qu'elle pourrait l'accepter.

Il l'observe en silence. Esther pousse un soupir, joint les mains comme pour se donner du courage et, toujours de dos, se décide à répondre.

— Lors de ma dernière journée chez madame Duplessis, juste avant que monsieur Varin vienne m'arrêter, je lui racontais ainsi qu'à ma chère madame Lévesque le récit de mes aventures chez les Touaregs, les hommes bleus du Sahara. Je ne crois pas l'avoir terminé.

— Et alors? fait-il, dérouté par le changement de sujet.

— Voudriez-vous en entendre la fin? C'est fort intéressant.

Elle se retourne et Hocquart, étonné, s'aperçoit qu'elle est sur le point de pleurer.

— Si c'est important pour vous, je veux bien. Vous savez combien j'aime vos histoires, Esther.

Elle se détourne encore une fois, le regard perdu au loin.

⁂

Il me fallut quelques mois pour recouvrer la santé, et encore plus pour retrouver mes esprits après la mort de mon protecteur, monsieur Fourget, dans le désert du Sahara. Mes sauveteurs, un couple nommé Az'ar et Faghizza, acceptaient mon triste silence. Très différents l'un de l'autre, lui mince et très sérieux, elle potelée et enjouée, ils avaient tous les deux le cœur généreux. Ils ne faisaient pas de distinction entre leurs propres enfants et moi, et ils partageaient tout ce qu'ils possédaient : la nourriture, la maison et l'amour. Avec eux, je commençais à comprendre le véritable sens du mot *humain*. Chez eux, j'avais trouvé un toit.

C'était une sorte d'île déserte, coupée du reste du monde, où les habitants, peu nombreux, vivaient une vie paisible, un lieu idéal pour me rétablir. Mes hôtes exigeaient très peu de moi, mais plus je reprenais des forces, plus j'avais besoin de me dépenser. Faghizza, une guérisseuse de renom, m'offrit de m'enseigner son métier. J'en avais très envie, car mon désir le plus cher était de pouvoir les aider en échange de leur bonté. J'appris ainsi les vertus secrètes des plantes médicinales qu'elle faisait pousser, la façon de désinfecter les blessures et de réduire les fractures, d'apaiser les esprits troublés et de réconforter ceux qui souffraient et qui venaient demander son aide. J'avais les mains habiles et l'esprit vif, j'avais été envoyée par Dieu, disait-elle, pour devenir son assistante et sa fille adoptive.

Un jour, un étranger aux yeux très bleus, le visage brûlé par le soleil, arriva au village sur une civière, en plein délire : il avait été mordu par un serpent. À ma grande surprise, qu'il marmonne ou qu'il crie de douleur, l'homme s'exprimait dans un français parfait.

Faghizza et moi nous occupâmes de sa blessure, très grave, et je peux bien vous le dire, nous lui avons sauvé la vie. Lorsqu'il fut guéri, il nous expliqua qu'il était commerçant, en route vers la côte et qu'il s'appelait Yousef – du moins, c'est ce qu'il nous dit. Habitués à ne porter qu'un prénom, mes hôtes ne s'en étonnèrent pas, mais cela m'intrigua et me fit croire qu'il voyageait sous une fausse identité. J'avais tellement l'habitude de voyager de cette manière que je me sentis immédiatement proche de cet homme. Nous étions deux étrangers en terre étrangère, il ne cessait de raconter des histoires fabuleuses sur les endroits qu'il avait visités et me décrivait les merveilles qu'il y avait vues. Je pouvais l'écouter pendant des heures. Je sentais mon cœur s'embraser comme sous un coup de ce vent violent que les Arabes appellent *simoun,* et je découvrais un sentiment que je n'avais jamais éprouvé jusqu'alors, la passion.

♥

— Assez, coupe Hocquart avec colère. Vous avez été assez claire. Pas de *simoun* pour moi au fond de votre cœur, c'est ça !

— Vous n'êtes pas non plus amoureux de moi, monsieur Hocquart, proteste Esther.

— J'ai osé croire qu'avec le temps nous pourrions arriver à nous aimer.

— Nous pouvons apprendre à nous accepter l'un l'autre, mais vous méritez mieux.

— Je vous offre le mariage et vous avez l'audace de prétendre que c'est pour mon bien que vous refusez?

— Cher monsieur Hocquart, commence-t-elle, c'est précisément parce que vous avez toujours été si bon pour moi que je me vois contrainte de refuser votre proposition.

— Qu'entendez-vous par là?

— Vous avez de lourdes responsabilités, vous avez besoin d'une épouse bien élevée, qui sache tenir maison et tenir son rang. Je ne vous causerais que des ennuis.

Suit un moment de silence durant lequel Hocquart digère ce qu'il vient d'entendre. Il a peine à accepter qu'elle lui réponde sur ce ton, comme s'ils jouaient à armes égales, alors qu'elle devrait reconnaître l'avantage qu'il a sur elle. Et c'est cette manière d'agir, plus que tout ce qui a pu se produire durant l'année qu'Esther Brandeau a passée à Québec, qui lui fait comprendre que, si la religion n'est pas parvenue à dompter son esprit d'indépendance, rien n'y parviendra.

— Vous vous rendez compte que vous venez de rejeter votre dernière chance de rester en Nouvelle-France, soupire-t-il.

— Mais je suis si heureuse de vivre ici, chez madame Lévesque, répond Esther, cédant à la panique. S'il vous plaît, monsieur Hocquart, je vous en supplie, ne me renvoyez pas.

— À partir de maintenant, vous n'avez plus le choix.

Hocquart s'approche de la fenêtre où Esther se trouvait un peu plus tôt, il tente de reprendre son souffle, mais la moiteur de l'air n'aide en rien ses poumons, pas plus que son esprit complètement dérouté. Il s'en veut d'avoir fait une proposition aussi ridicule. Comment a-t-il pu être aussi téméraire, aussi peu soucieux de sa réputation ?

Il redoute la tâche qui l'attend : organiser le retour d'Esther. Elle est là, la petite sotte, à sangloter comme si son cœur allait éclater. Trop tard, Hocquart réalise que son aplomb n'était qu'une façade, rien que ça : une façade. Incapable de supporter un instant de plus le chagrin d'Esther ou sa propre humiliation, il sort sans même un au revoir.

La maison des Lévesque a beau rester relativement fraîche grâce à ses épais murs de pierre, dehors le soleil tape fort. Un chien halète sous la chaleur et, les rênes lâchement attachées à une clôture, un cheval secoue la queue pour chasser un nuage de mouches. Ce sera mieux au bord du fleuve, suppose Hocquart. Plutôt que de retourner travailler à contrecœur, il pourrait descendre sur le rivage, regarder les bateaux en partance pour la France, les Antilles ou Dieu sait où, ces endroits de rêve où il n'ira jamais.

Il marche d'un pas vif, mais au bout d'un moment il ralentit, sa rage s'apaise – finalement plus soulagé que blessé, songe-t-il, un peu étonné. Peut-être est-il vraiment trop vieux pour changer de vie.

❧

27 septembre 1739, Québec

Monsieur Pelissier, que j'avais informé des aventures d'Esther Brandeau, fille juive arrivée en ce pays l'année dernière déguisée en garçon, m'écrit que ce paraissait être une fille bâtarde de David Brandeau, Juif de Bayonne qui lui a dit qu'il avait encore huit enfants chez lui. […] Elle est si volage qu'elle n'a pu s'accommoder ni à l'Hôpital général ni dans plusieurs autres maisons particulières où je l'avais fait mettre. Le concierge de la prison en a pris charge en dernier lieu […]. Elle n'a pas tenu absolument une mauvaise conduite, mais elle a tant de légèreté qu'elle a été en différents temps aussi docile que revêche aux instructions que des ecclésiastiques zélés ont voulu lui donner; je n'ai d'autre parti à prendre que de la renvoyer. Le sieur La Fargue, capitaine du navire Le Comte de Matignon de La Rochelle, *a la charge de la remettre à monsieur de Bellamy.*

De l'intendant Gilles Hocquart
au ministre de la Marine de France

ᘓ

— Voyez, dit Varin, caustique, c'est le *Comte de Matignon de La Rochelle* qui vous ramène chez vous à Bayonne.

Esther marche en silence à ses côtés, les yeux rivés au sol. Deux soldats les accompagnent, chargés par ordre du roi de la surveiller durant la traversée. Hocquart n'avait pas cru nécessaire de fournir une escorte armée, mais dans sa dernière lettre Sa Majesté l'exige et l'assure que cette dépense lui sera remboursée. La jeune fille est complètement amorphe, les soldats n'ont rien d'autre à faire que porter ses affaires, deux sacs de vêtements et quelques cadeaux d'adieu. Hocquart lui a offert un exemplaire magnifiquement illustré des *Contes des mille et une nuits*, et madame Duplessis une édition des lettres de Marie de l'Incarnation. Madame Lévesque lui a donné une paire de chandeliers et plusieurs bougies, elle en aura besoin pour lire. Marie-Thérèse, plus pragmatique, a simplement rempli de vivres un panier tressé par les Indiens.

Bien sûr, Hocquart est trop occupé pour venir lui faire ses adieux en personne et a gardé secrète l'heure précise du départ d'Esther pour éviter tout désordre inutile, ce dont Varin lui sait gré. On a déjà accordé trop d'attention à cette sournoise petite Juive et il est heureux qu'elle n'ait pas l'occasion de se donner en spectacle une dernière fois.

Elle lève finalement les yeux pour voir ce qu'il veut lui montrer, et son visage s'anime tout à coup.

— Un bien beau navire, dit-elle. Qui en est le capitaine ?

— Le sieur La Fargue.

— La Fargue ? Il s'appelle vraiment La Fargue ?

— Oui.

Esther éclate de rire à travers ses larmes et, avant même que Varin lui donne l'ordre d'embarquer, elle empoigne sa jupe à deux mains et s'élance sur la passerelle sans se soucier plus que d'habitude de montrer ses jambes. Les soldats trébuchent derrière elle, empêtrés dans ses effets. Sur le quai, quelques hommes pouffent de rire et la montrent du doigt en lançant des commentaires désobligeants. Varin leur ordonne de se taire et crie à Esther de revenir.

— C'est moi qui donne les ordres! Vous êtes ma prisonnière! hurle-t-il, se sachant parfaitement ridicule.

Mais Esther ne se retourne pas, elle n'a de regard ni pour lui ni pour cette terre qui, pendant toute une année, fut la sienne.

Remerciements

Ce roman est une improvisation fantaisiste sur un événement historique fort inspirant, mais plus ou moins documenté. L'essentiel de ce que nous savons à propos d'Esther Brandeau provient du rapport déposé par Jean-Victor Varin de La Marre, que l'on retrouve à la fin de cet ouvrage. L'original ainsi que les commentaires de l'intendant Gilles Hocquart sur le séjour d'un an de la jeune fille au Canada sont disponibles sur microfiches aux Archives nationales du Canada, série C11A-B, 71 et 72. Les réponses reçues de France figurent sous les numéros 68 et 71. Des extraits de ces lettres sont cités dans ce roman.

Dans le récit, l'origine juive d'Esther Brandeau ne se révèle qu'au début du printemps 1739, au moment où les communications avec la France sont rétablies, plutôt qu'à son arrivée comme cela a été réellement le cas. Je n'avais aucun intérêt à consacrer tout un ouvrage à la polémique religieuse. C'est le tempérament d'Esther qui a piqué ma curiosité, ce qui l'avait rendue courageuse et assez frondeuse pour s'exiler, autant que ce qui avait porté les gens de Nouvelle-France à la protéger jusqu'à ce qu'un édit royal les force à la renvoyer.

Le fait qu'en réalité elle ait avoué sa véritable identité

aussitôt qu'on l'a mise en doute a déterminé mon approche :
la jeune fille m'est apparue alors comme une extraordinaire
fabulatrice plutôt que comme une aventurière intrépide.
Une personne aussi sensible à l'autorité n'aurait jamais pu
se faire passer pour un garçon durant cinq longues années,
même pendant un court séjour en prison.

L'information sur Varin, Hocquart, le gouverneur
général Beauharnois et mère Claude de la Croix provient
du Dictionnaire biographique du Canada. *Les citations*
en langue wendat de madame Duplessis sont tirées du très
beau cantique huron Jésus est né, *écrit par saint Jean de*
Brébeuf. L'histoire du savant tombé à l'eau est une adap-
tation libre de ce récit dans Jewish Folktales, *recueilli par*
Pinhas Sadeh et traduit de l'hébreu par Hillel Halkin
(Doubleday, New York, 1989). Les proverbes ladinos,
les « refrains » qui lancent chaque chapitre, viennent de
The Sephardic Tradition: Ladino and Spanish-Jewish
Literature, *édité par Moshe Lazar et traduit par David*
Hermen (W. W. Norton, New York, 1972).

Je ne suis pas la seule à avoir soupçonné la présence
cachée de Juifs parmi les premiers colons du Québec, tout
comme dans les autres colonies d'Amérique du Nord et du
Sud. Dans un article rédigé pour la Manitoba Historical
Society et publié en ligne à l'adresse www.mhs.mb.ca/
docs/transactions/3/jewishhistory.shtml, *le rabbin*
Arthur A. Chiel suggère que Marc Lescarbot, auteur de
*l'*Histoire de la Nouvelle-France, *publiée en 1609, puisse*
être d'ascendance juive, étant donné sa connaissance sur-
prenante de l'hébreu et sa tentative de prouver que les Pre-
mières Nations descendaient des dix tribus perdues d'Israël.

Plus large et plus ambitieux scientifiquement, le projet Anusim (www.familytreedna.com/public/canadian anusim/default.aspx) *recherche la confirmation par ADN de la présence de crypto-Juifs parmi les premiers immigrants.*

On en trouve aussi la confirmation dans un article intéressant de Jean-Marc Gélinas sur les origines de sa famille, disponible en ligne au gelinas.org.

Ces deux références citent les registres du Saint Office pour avancer que le nom de Lévesque était synonyme d'origine juive à l'époque où se situe mon récit. Gélinas présente aussi des commentaires et des liens avec le roman de Pierre Lasry (2001) à propos d'Esther Brandeau, Une Juive en Nouvelle-France, *aussi publié en anglais sous le titre* Esther, a Jewish Odyssey *(2004).*

J'ai remis à plus tard à la fois la lecture du roman de Lasry et celle d'Esther, *un livre de Sharon McKay, attendant d'avoir terminé l'écriture de mon propre livre, que j'avais entrepris avant de repérer Lasry et avant la parution du roman de McKay.*

Je fus soulagée de constater que nos interprétations du tempérament de la jeune fille divergent complètement. Pour un fascinant survol de la variété de ces interprétations dans l'histoire canadienne, voir Nathalie Ducharme, Fortune critique d'Esther Brandeau, une aventurière en Nouvelle-France.

Les histoires de Joaquin ont d'abord paru dans The University of Windsor Review, *numéro 39.1 (2006), grâce à Marty Gervais.*

En ce qui concerne le soutien moral et financier, je

tiens à remercier le Toronto Art Council, le Ontario Art Council, Cormorant Books, Dundurn Press, Black Moss Press et Sumach Press. Martha Baillie, Rachel Klein et Carolyn Smart furent mes premières lectrices; elles m'ont donné leurs conseils, et ce livre n'en est que meilleur. Le soutien de Helen Dunmore est plus précieux que je puis l'exprimer.

Mon agent, Alisha Sevigny de The Rights Factory, a cru en Esther dès le départ, tout comme mon étonnant directeur littéraire, Marc Côté, dont l'esthétique rigoureuse m'a poussée à travailler au meilleur de moi-même, et dont les propres ancêtres sont arrivés en Nouvelle-France en 1637.

Je dois vraiment souligner ma dette envers mon mari, Tom Klein, et nos enfants Jesse et Rachel pour leur amour indéfectible au quotidien et pour notre voyage « chocolaté » en France — la recette secrète du chocolat est arrivée au Pays basque grâce à des Juifs fuyant l'Inquisition espagnole. De nos jours, chaque village de cette région abrite au moins un chocolatier, mais bien peu de représentants juifs. Quand Esther Brandeau vivait à Bayonne, il y avait treize synagogues. Aujourd'hui, il n'y en a plus.

Il existe cependant une synagogue dans la ville de Québec.

Rapport de Varin aux autorités françaises
15 septembre 1738

Aujourd'hui, quinzième septembre mil sept cent trente-huit, par-devant nous Commissaire de la Marine chargé à Québec de la police des gens de mer, a comparu Esther Brandeau âgée d'environ vingt ans laquelle s'est embarquée à La Rochelle en qualité de passager en habits de garçon sous le nom de Jacques La Fargue, sur le bateau le Saint-Michel *commandé par le sieur Salaberry, et nous a déclaré se nommer Esther Brandeau, fille de David Brandeau Juif de nation, négociant au Saint-Esprit diocèse de Daxe et près de Bayonne, et être juive de religion et qu'il y a cinq ans que son père et sa mère la firent embarquer au dit lieu sur un navire hollandais, capitaine Geoffroy pour l'envoyer à Amsterdam à une de ses tantes et à son frère, que le navire fut perdu sur la Barre de Bayonne dans la lune d'avril ou de mai mil sept cent trente-trois, elle fut emmenée sauvée à terre avec des gens de l'équipage qu'elle fut retirée par Catherine Churiau, veuve demeurant à Biarritz, que quinze jours après elle partit habillée en homme pour Bordeaux où elle s'embarqua en qualité de coq sous le nom de Pierre Mausiette sur une barque commandée par capitaine Bernard destinée pour Nantes,* qu'elle retourna sur le même bâtiment à Bordeaux où elle s'embarqua de nouveau en même qualité sur un bâtiment espagnol, capitaine Antonio qui partait pour Nantes, qu'arrivée à Nantes, elle déserta et s'en alla à Rennes où elle se plaça en qualité de garçon chez un nommé Augustin, tailleur d'habits où elle resta six mois, que de Rennes, elle alla à Clisson où elle entra au service des Récollets en qualité de domestique et pour faire les commissions, qu'elle resta trois mois dans le couvent dont elle sortit sans avertir pour aller à Saint-Malo où elle trouva asile chez une boulangère nommée Jeunesse (?) demeurant auprès de la grande porte où elle resta cinq mois rendant quelques services à ladite personne, qu'elle alla ensuite à Vitré pour chercher quelque condition. Là, elle se mit au service du sieur La Chapelle ci-devant capitaine au régiment de la Reine, Infanterie, qu'elle a servi pendant dix ou onze mois en qualité de laquais, qu'elle sortit de cette condition parce que sa santé ne lui permit pas de continuer à veiller ledit seigneur de La Chapelle qui était toujours malade. Ladite Esther revenant à Nantes à une lieue de Noisel fut prise pour un voleur et arrêtée par la Maréchaussée du lieu et conduite dans leur garnison de Noisel où on la fit sortir au bout de vingt-quatre heures avant qu'on s'aperçût qu'on s'était mépris. Elle se rendit ensuite à La Rochelle où ayant pris le nom de Jacques La Fargue, elle s'est embarquée sur ledit bateau le Saint-Michel que laquelle déclaration avons interpellé ladite Esther Brandeau de nous dire quelle raison elle a eue de déguiser ainsi son sexe pendant cinq ans. Sur quoi elle nous a dit qu'elle s'était sauvée du naufrage, arrivée à Bayonne, elle tomba dans

234

la maison de Catherine Churiau comme il est dit ci-dessus, qu'elle lui fit manger du porc et d'autres viandes dont l'usage est défendu parmi les Juifs et qu'elle prit la résolution dans ce temps de ne plus retourner chez son père et sa mère pour jouir de la même liberté que les Chrétiens. Dont et en tout nous avons dressé le présent procès-verbal de ladite Esther Brandeau, signé par nous à Québec les jours et au susdit Varin.

CRÉDITS ET REMERCIEMENTS

Les Éditions du Boréal reconnaissent l'aide financière du gouvernement
du Canada par l'entremise du Fonds du livre du Canada (FLC)
pour leurs activités d'édition et remercient le Conseil des arts
du Canada pour son soutien financier.

Les Éditions du Boréal sont inscrites au Programme d'aide
aux entreprises du livre et de l'édition spécialisée de la SODEC
et bénéficient du programme de crédit d'impôt pour l'édition de livres
du gouvernement du Québec.

Couverture : Ann Elliott Cutting, Trevillion Images

Ce livre a été imprimé sur du papier 100 % postconsommation,
traité sans chlore, certifié ÉcoLogo
et fabriqué dans une usine fonctionnant au biogaz.

MISE EN PAGES ET TYPOGRAPHIE :
LES ÉDITIONS DU BORÉAL

ACHEVÉ D'IMPRIMER EN JANVIER 2014
SUR LES PRESSES DE L'IMPRIMERIE GAUVIN
À GATINEAU (QUÉBEC).